著作权合同登记号：图字 18-2023-118

图书在版编目（CIP）数据

物理魔法使马修. 11 /（日）甲本一绘著；集英社官方翻译组译. -- 长沙：湖南文艺出版社，2023.9
ISBN 978-7-5726-1354-8

Ⅰ. ①物… Ⅱ. ①甲… ②集… Ⅲ. ①漫画－连环画－日本－现代 Ⅳ. ①J238.2

中国国家版本馆 CIP 数据核字（2023）第 145069 号

上架建议：畅销·漫画

WULI MOFASHI MAXIU. 11
物理魔法使马修. 11

绘 著 者：［日］甲本一
译　　者：集英社官方翻译组
出 版 人：陈新文
责任编辑：匡杨乐
监　　制：邢越超
策划编辑：韩　帅
特约编辑：尹　晶
版权支持：金　哲
营销支持：文刀刀　李美怡
封面设计：梁秋晨
出　　版：湖南文艺出版社
（长沙市雨花区东二环一段 508 号　邮编：410014）
网　　址：www.hnwy.net
印　　刷：北京中科印刷有限公司
经　　销：新华书店
开　　本：740 mm × 980 mm　1/32
字　　数：78 千字
印　　张：6.25
版　　次：2023 年 9 月第 1 版
印　　次：2023 年 9 月第 1 次印刷
书　　号：ISBN 978-7-5726-1354-8
定　　价：32.00 元

若有质量问题，请致电质量监督电话：010-59096394
团购电话：010-59320018

他的恶意何等深邃

谢谢大家，对不起，我先走一步了。
不过这下你应该也看清了现实，
虽然身体能力能追上我，但也无法弥补魔法上的差距。
性格真的很糟糕，
反派的感觉……

无能为力!! 面对力量的差距，连马修也……？

集结剩下的五兄弟。

最后的大战，逼近!!

物理魔法使马修 ≫ MASHLE ≪

实在是太强大了！

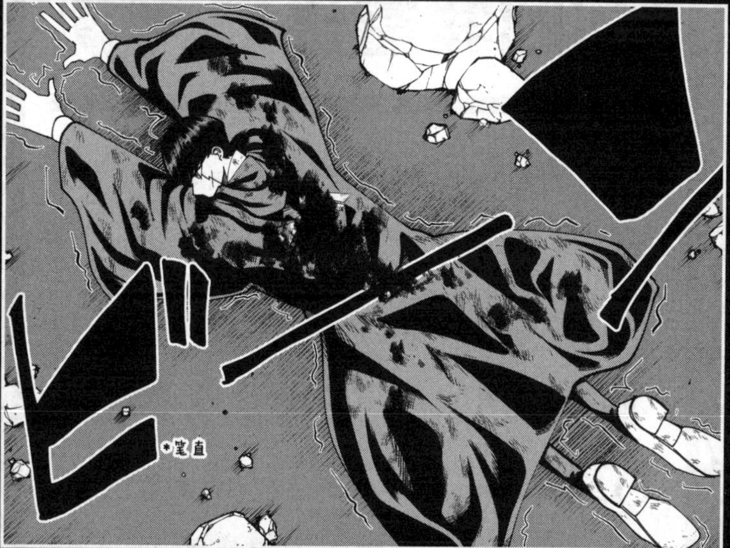

✱笔直

最大的危机。身体的异变向马修袭来？！

越来越有趣了，我突然想
亲手破坏掉你内心的禁锢了……

12 现已出版 发售预定!!

你问我答环节 Q&A

Q.1/ 利夫为什么能用两根魔法杖？（读者提问）

A.1/ 那是他双胞胎哥哥送他的!!

Q.2/ 瑞恩的生日是什么时候？（读者提问）

A.2/ 3 月 3 日。

Q.3/ 水桶接力赛的水桶从哪儿来的?（读者提问）

A.3/ 把魔法杖摊一摊捏成的!!

一瞬间!!

附录⑧

附录漫画（完）

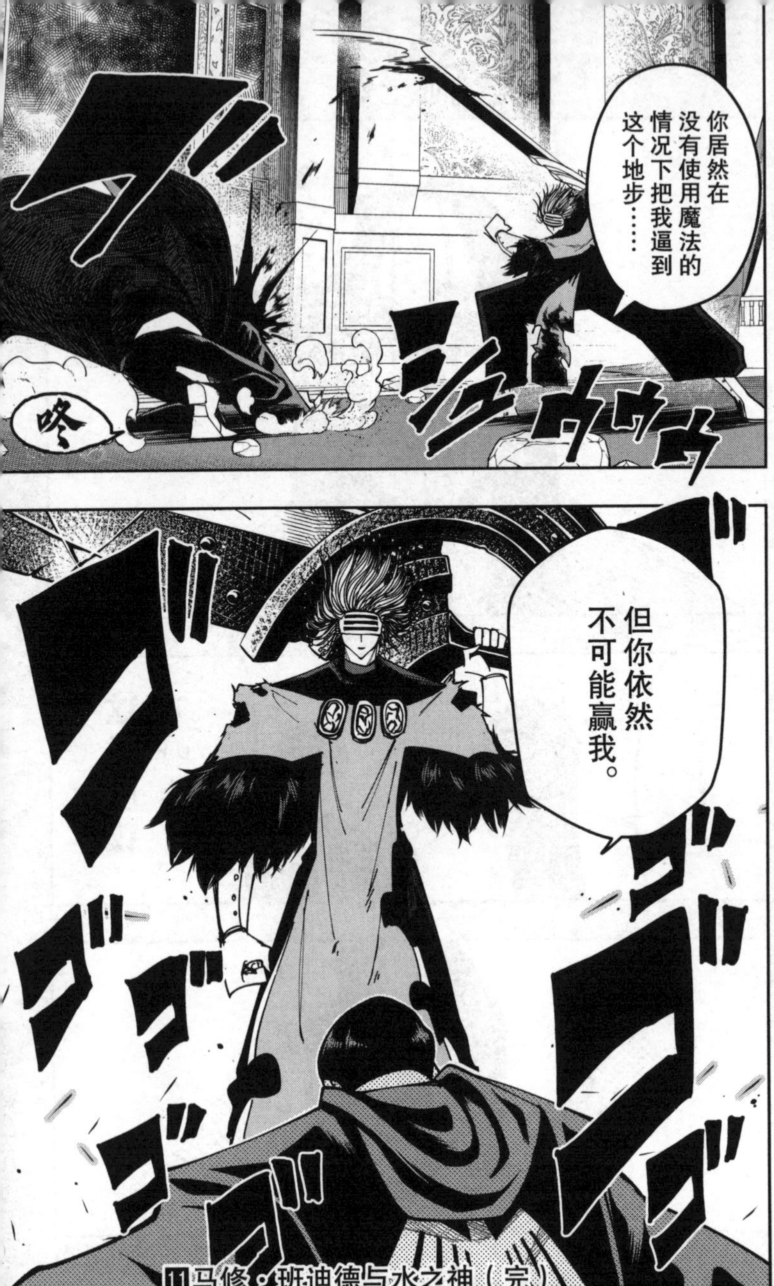
你居然在没有使用魔法的情况下把我逼到这个地步……
咚
但你依然不可能赢我。
11马修·班迪德与水之神（完）

?!
居然被逼得
用魔法……

这家伙……
连我的五成都……
厉害!!
先做出要往左下蹲躲闪的假动作,
然后完全避开杜姆的攻击!!
难道说……
难道说我……

差不多摸清你的实力了……
我的五成……速度是之前的两倍……
到此为止了……

右。右。左。
左。左。左。右。右。
厉害……他看穿了杜姆的所有动作。
五成……

右。
好快!!
下蹲躲闪!!
马修·班迪德
认真起来的话……

咔嚓
抓住

不分伯仲!!

ビリ
ビリ
ビリ
ビリ

杜姆是被魔法界
『最古十三杖』
选中的人。
马修・班迪德的体能
是锻炼出来的，
杜姆则是通过
『最古十三杖』的
力量，将魔力
最大程度转化为
强大的肉体，
是祝福之力……
不单单是
速度。
！

比刚才还要快!!
三成就追上马修·班迪德的速度了!!

……
速度不错……
三成应该也没问题。
不要轻易被我击垮哟。
咚

快速而优美!!
动作行云流水……

赢不了……
马修·班迪德不可能战胜杜姆，连万分之一的胜算都没有……

有两下子……
看来你打败多米纳不是靠运气呢……
应该能稍微期待一下。
就先用两成实力吧。

原来……
*火辣辣
如此……

让他稍微见识一下你的实力，杜姆。
被小看了呢……
有点提不起劲来啊，不过……
*释放
*火辣辣
！

ゴゴゴゴゴゴゴ
一个接一个，没完没了……
你想要起源之杖，对吧？
只要你能打赢杜姆，就给你。
这样好吗，父亲？
……

第100话 马修·班迪德与最强刺客

恶魔五子。
『纯粹的根源』身边有5个儿子，多米纳是老五。
他们每个人都拥有可怕的魔法，
实力则与排行成正比。长子最强，以此类推。

附录⑦

P196 待续

欺凌弱者……
会让我提不起劲啊。
……

玩得挺开心的嘛……
……
杜姆，你怎么才来？
路上太堵了。
五兄弟的老大杜姆……
他为什么会来……
来得正好，代我告诉这个不知天高地厚的小子，什么叫人外有人。

嗯？
倒回来了？
你
不是我的对手。

ズン
ガ
ガガ
ガガ
ガガ
グッ

ギュン

想要从他人那里掠夺，
咔嚓
就必须有被他人掠夺的觉悟。
……
有趣。

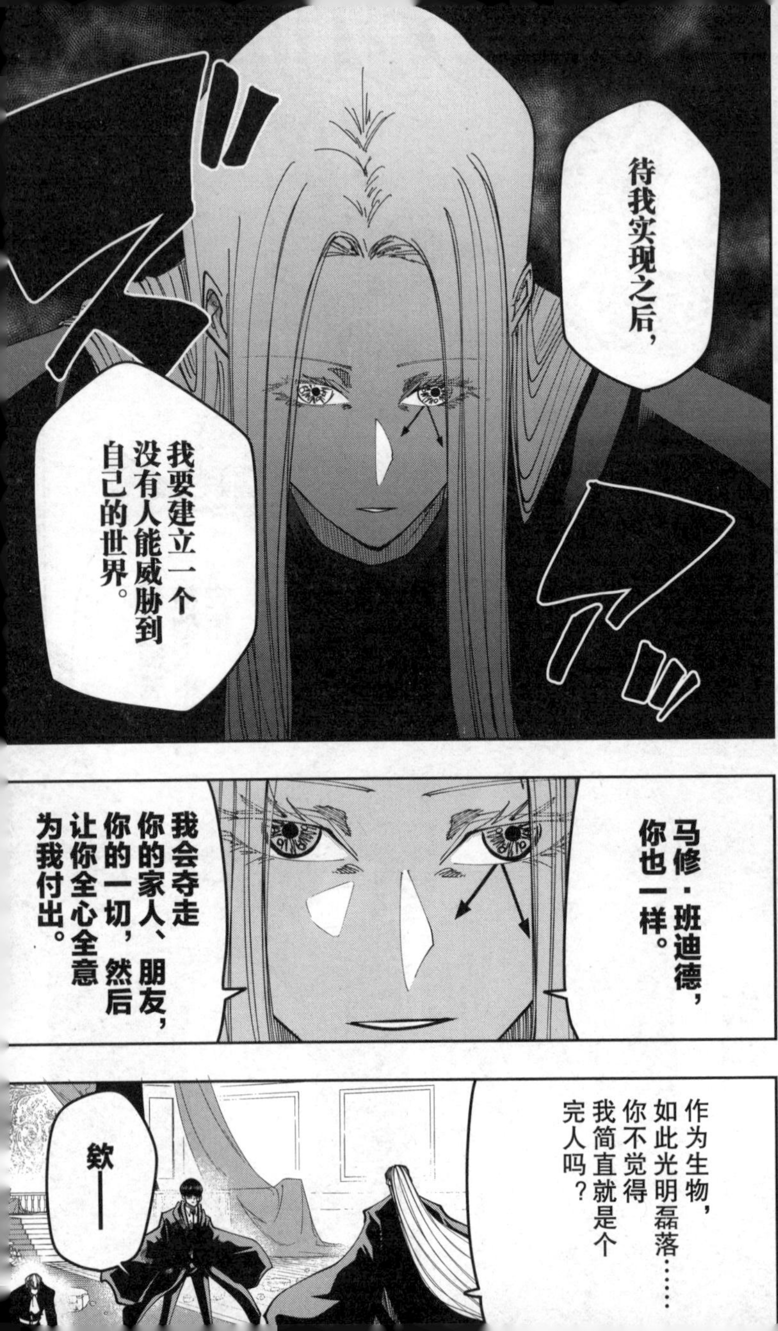
待我实现之后，
我要建立一个没有人能威胁到自己的世界。
马修·班迪德，你也一样。
我会夺走你的家人、朋友，你的一切，然后让你全心全意为我付出。
作为生物，如此光明磊落……你不觉得我简直就是个完人吗？
欸——

我们从心底惧怕死亡。
为了活而杀戮，
为了活而掠夺。
我想活下去。
非常殷切地想要活下去。
以不会衰亡、完美的状态活着。
绝不会接受死亡。
……
为此牺牲自己孩子的性命又如何？
我要利用你们的生命实现不老不死。

无法理解。
你刚刚的行为根本就是在自讨苦吃。
经常有人这么夸我。
我是在说你非常愚蠢。
好吧……
しょぼん…
生物最基础的欲望是生存。
努力学习，注重打扮，结婚生子，
争权夺利，八面玲珑，
都是出于对死的恐惧。

利用完别人，还说出这么过分的话。
你……明明很清楚，自己根本不是我的对手，
还要跟我对着干吗？

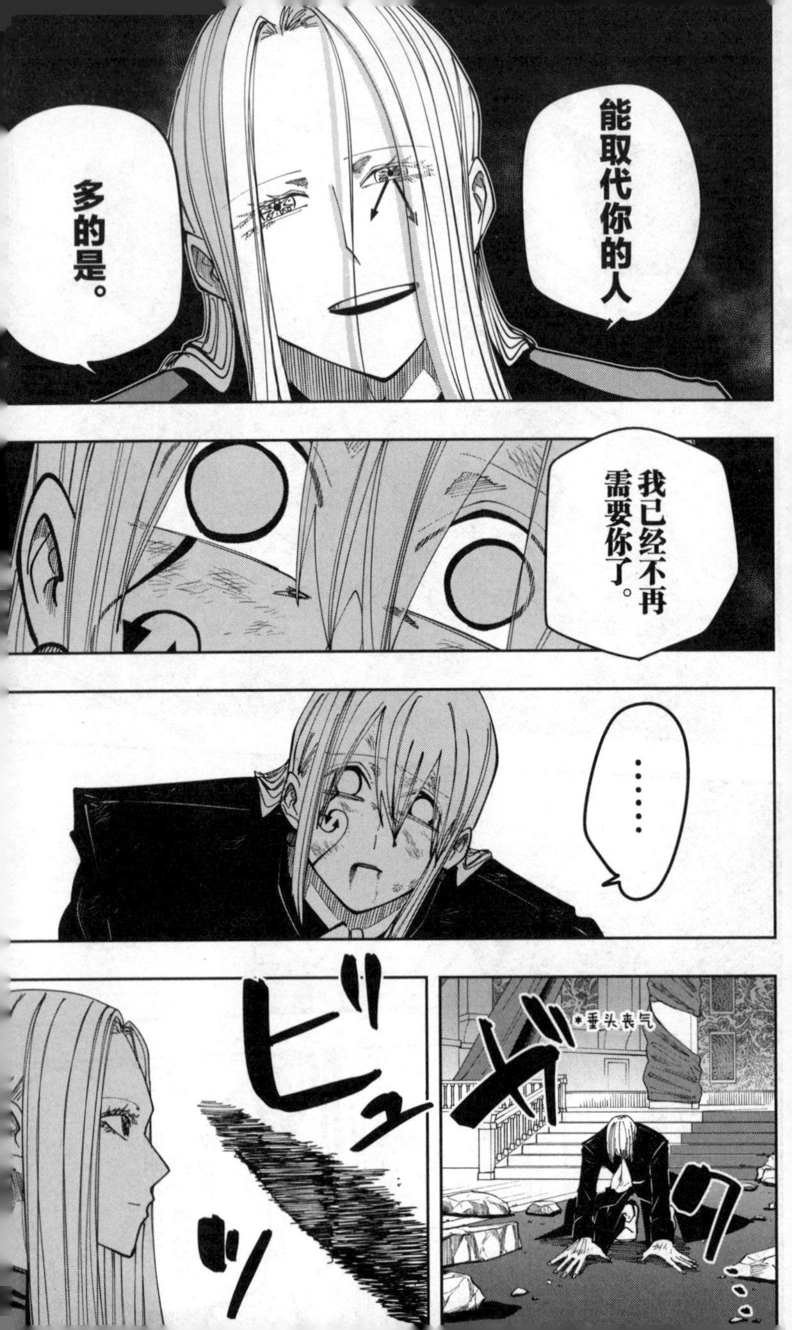
能取代你的人
多的是。
我已经不再需要你了。
……
*垂头丧气
ビュッ

咯咯！咯咯！
对不起，父亲……
是我不中用……
多米纳……
啊啊……怎么伤成这个样子……
你已经很努力了。
父亲……
不必多言，你大可放心。

身体状况
比我预想的
要好嘛。
飘浮
ゴゴゴゴ
嗒
还是要我
亲自出马。
ゴゴゴゴ

这个魔力的感觉是……
ゴ
ゴゴ
父亲大人……
ゴゴゴ
ゴゴ
ゴゴ

第99话 马修·班迪德与强大的二人

附录⑥

明天记得还我。
兰斯同学？
*哗啦
*嗒
第一次见到兰斯同学狂奔呢。
帮我把窗户修一修吧……
好的。
*哔
喂，马修，昨天的——
……

P176 待续

ゴゴゴゴ
ピキ
バシャ
多米纳输了吗？
ゴゴゴゴゴ

我们和好吧。
你的手好温暖……

我家老爷子教育我，
做错事的时候，就要道歉。
道歉之后，就要原谅对方。
所以——

！
你在同情我吗？
觉得我可怜吗？
……

就像真正的父子那样……

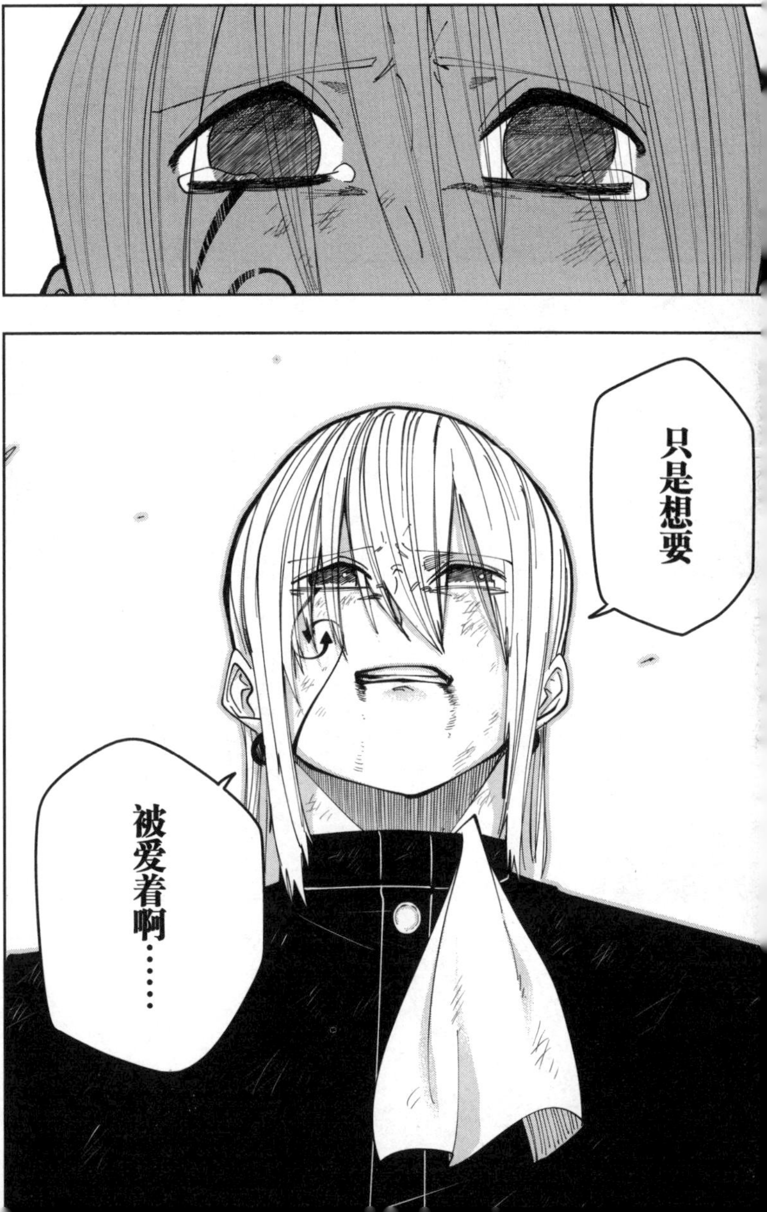
只是想要
被爱着啊……

你怎么可能会理解我的心情。
你要永远做一个对我来说有用的人，
做不到的话，就别做我的孩子。
我……
我只是……
ギリッ
*咬牙

从未做过
牺牲……
没有血缘关系，
不会使用
魔法，
无条件就能
得到爱的你，
是不会懂的!!

……
老爷子在我做错事的时候会责备我。
老爷子做错事的时候，我也会埋怨他。
像这样相互……
呵呵呵……
！

吵死了。
バゴン
什么有血缘关系，什么单方面听从对方的命令，
在我看来，这些都不是判定是不是真正的亲情的标准。
シュウウウウゥ

哼！
嘎啊！
一个人在那边嘟嘟囔囔的，说个没完。

被打了那么多拳之后……
居然还能站起来……
ゴクッ
咔嚓
我和父亲大人的关系，不是你跟那个老头儿能比的！
我跟父亲大人是有血缘关系的真正的父子，是有真感情的！
最终会赢得胜利的不是你!!
而是为了父亲大人舍身战斗的我!!
ドド

我不允许这样的事情发生……
ボタ
ボタ
我才是父亲大人需要的人，
该获得幸福的人是我……
不是你。
……
不是你！

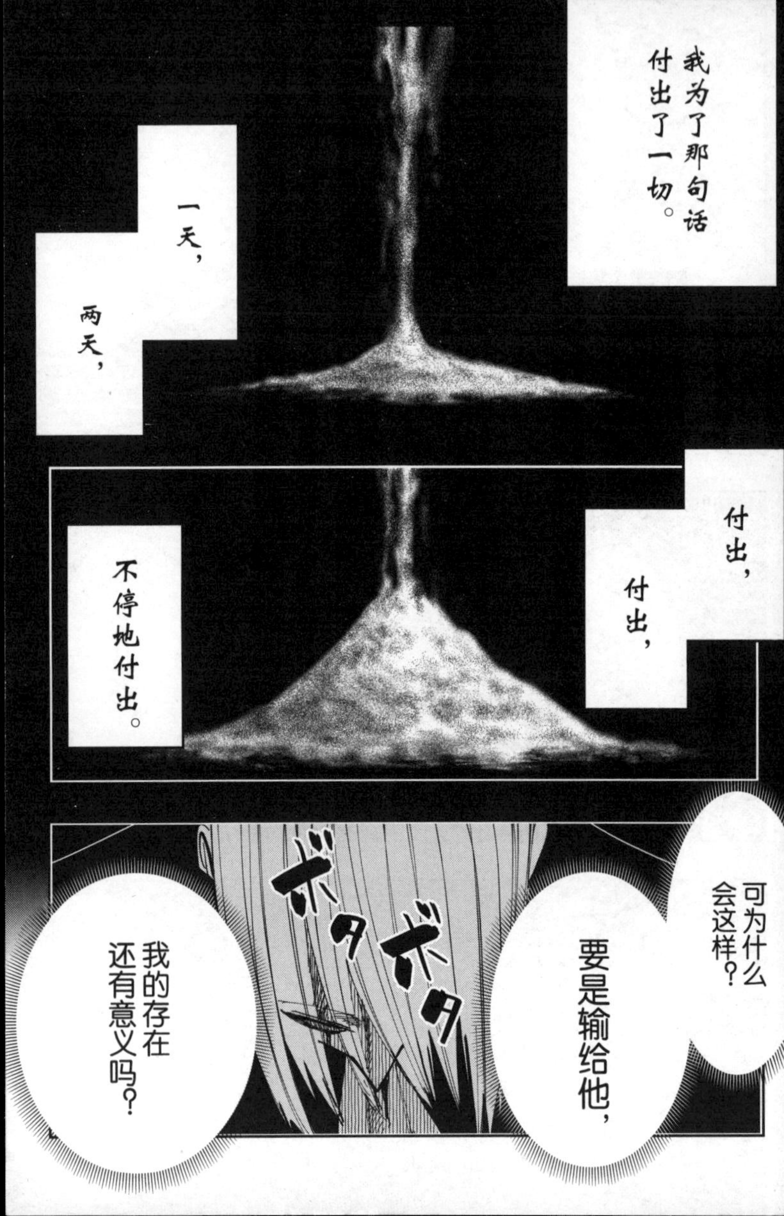
我为了那句话付出了一切。
一天，
两天，
付出，
付出，
不停地付出。
可为什么会这样？
要是输给他，
ボタボタ
我的存在还有意义吗？

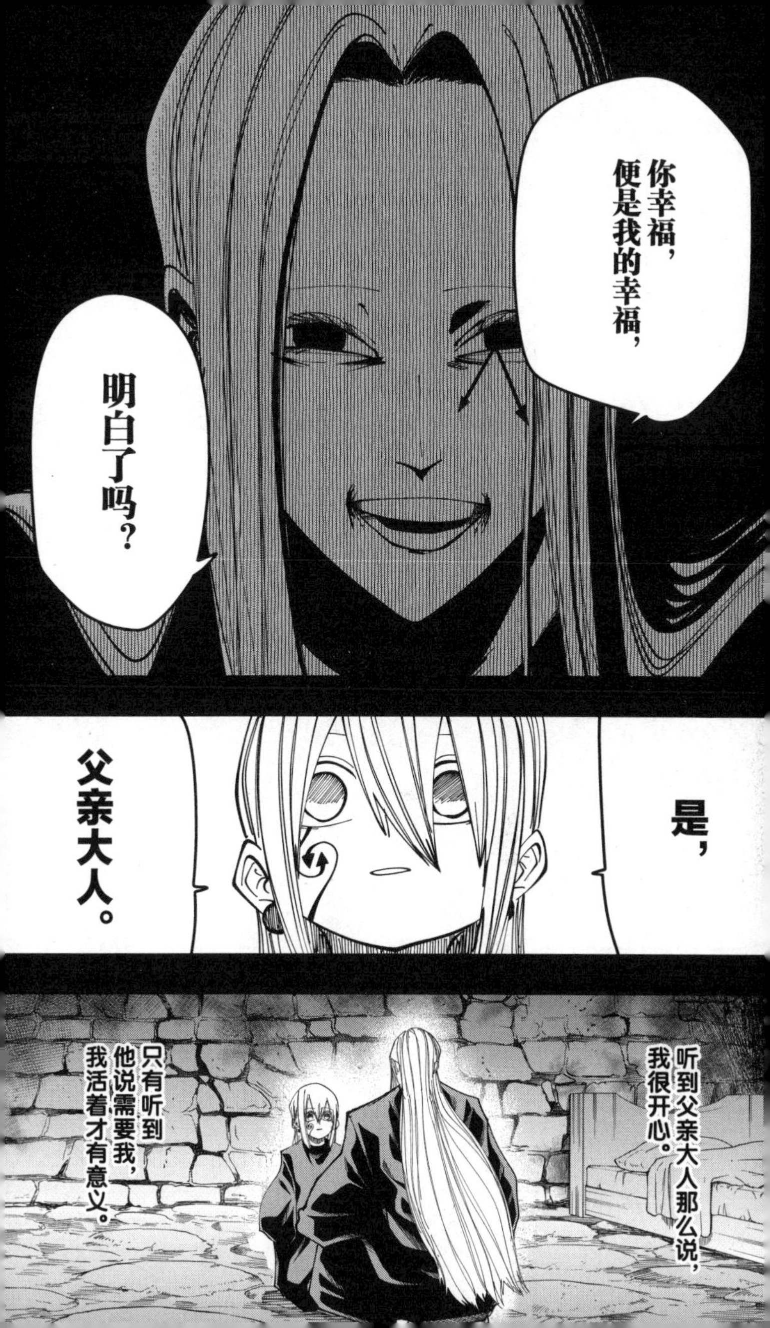
你幸福，便是我的幸福，
明白了吗？
是，
父亲大人。
听到父亲大人那么说，我很开心。
只有听到他说需要我，我活着才有意义。

我是为了满足父亲大人的期待而出生的小孩。
只要父亲大人一句话，我甚至不惜让双手沾满鲜血。
最初我也曾抵抗过，
但每当我遵从命令，父亲大人就会这么对我说……
我需要你。
除了你和我，其他人都是可以任意践踏的垃圾。
对我来说，你就是一切。

从记事起，我就独自
被隔绝在牢房一样的房间里生活。
平时只会接触到负责照顾我生活起居的那几个人，但父亲大人为了不让我跟他们说话，把他们的嗓子毁了。
唯一能够沟通的人只有父亲大人。
对我来说，父亲大人就是全世界。

第98话 马修·班迪德与分出胜负之时
你要永远做一个对我来说有用的人，
这就是你存在的意义。
父亲大人就是这么对我说的。

附录⑤

好的。
那个井也麻烦你清理掉，好吗？
好的。
还有，你身上都湿了，请用毛巾擦干。
好的。
喂，马修。上次借你的教科书……

P156 待续

ガガガガ

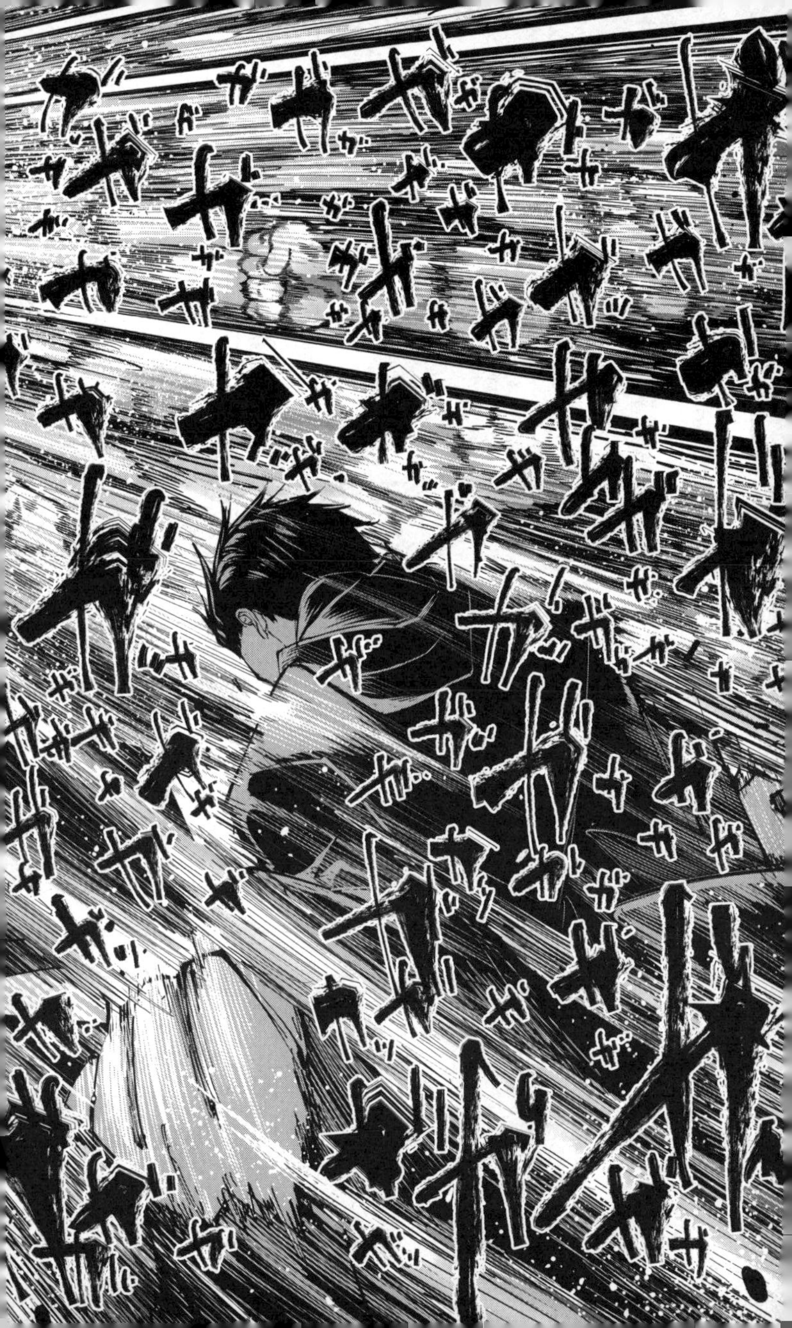

扛过来了！
我扛过来了……
呵呵呵呵呵呵呵！
我赢了!!
我证明了!!
我才是对的，
错的是你!!
我对父亲的爱
是真的，
你的亲情
是假……
65536
欸？
65536。
欸？

……
因为自暴自弃就迁怒身边的人，
要不是看在你还是学生的分上，没人会原谅你这种自私自利的行为。
经历了这次，你要好好反省。
呼！呼！你在说什么……

256

ズド
16
ドドドドドドドドドドドド
下一次出拳的数量是上一次的平方吗?!
如果真是这样……那16的平方就是……
嗞——

平方？
?!
2
好厉害的拳……
每一拳都跟铁一样硬……
嗞……
4
呜噗喀喀
莫非这招……

只要有我在，
就不会让你得逞。
无限制肱二头肌魔法
平方拳。

迄今为止，为了得到父亲的爱，我言听计从。
将一切奉献给父亲的……只有我!!
只有我才能得到父亲的爱!!
我要把你们都杀死!!
这下你完蛋了!!
不会完蛋。
!

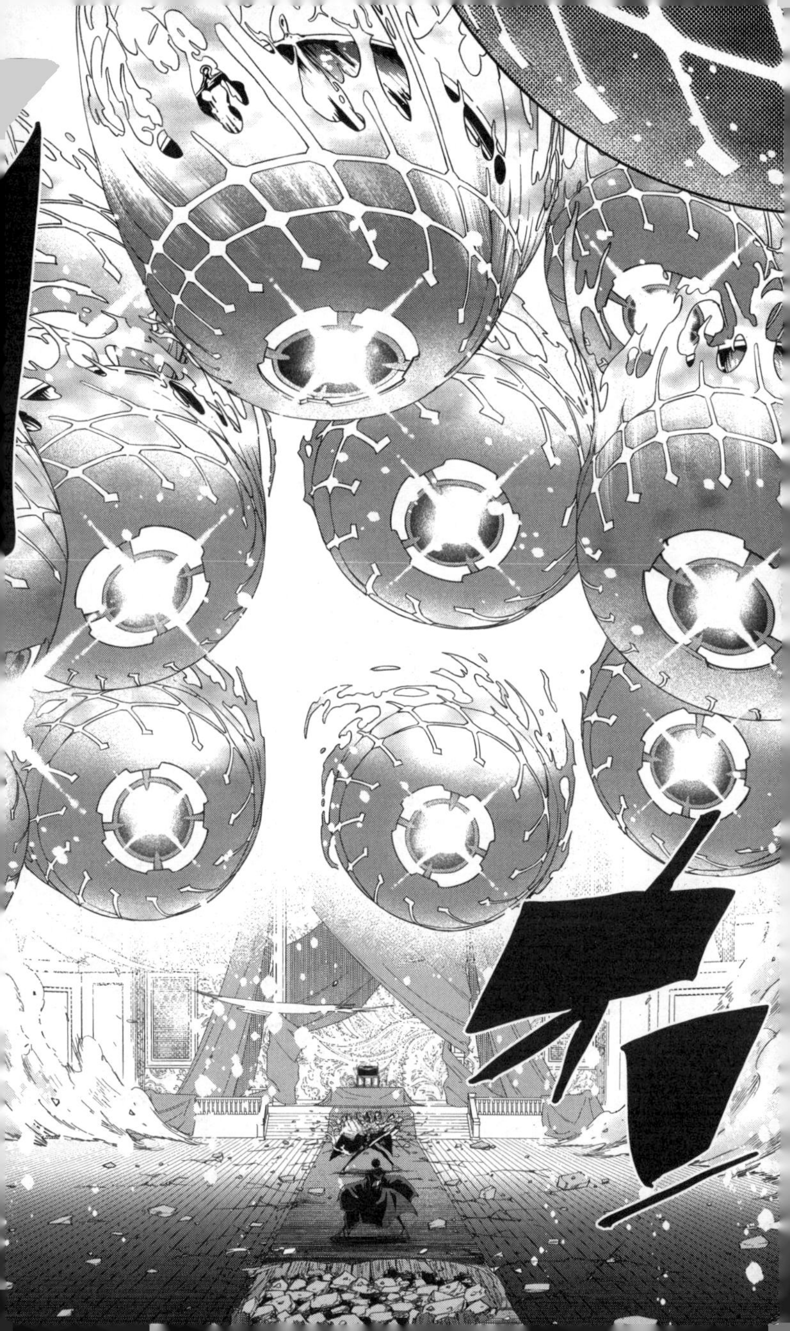

你之前可不是
这么说的·
嗞——
我现在的力量
远远在你之上……
……！

!
我已经拿到了起源之杖!!
我要用这根魔法杖的魔力
——
证明你才是错的!!

对我这个不会用魔法的废物
相当疼爱哟。
……
不用付出任何代价就能得到爱，怎么可能呢？
你的家人跟你一点血缘关系都没有，是假的……是假情假意！
一旦遇到什么事，他转眼就会背叛你……

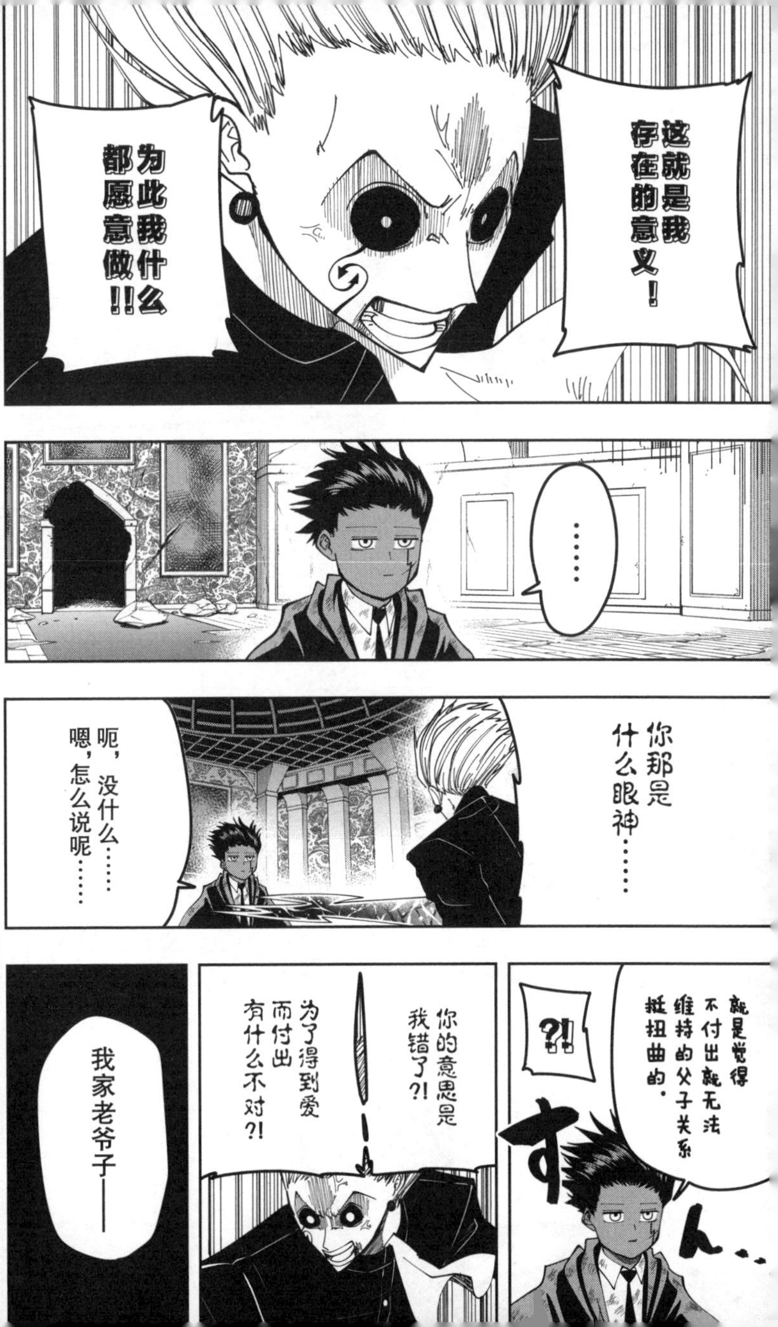

这就是我存在的意义！
为此我什么都愿意做！！
……
你那是什么眼神……
呃，没什么……嗯，怎么说呢……
就是觉得不付出就无法维持的父子关系挺扭曲的。
?!
すん..
你的意思是我错了?!
为了得到爱而付出有什么不对?!
我家老爷子——

解除负重之后，原本占了上风，
现在面对那些水激光，根本近不了身!!
要重新想办法了!!
为了表忠心，我发过誓，
会为父亲大人付出我的一切!!
没这个必要吧。
没这个必要？是我自愿的！
我十分尊敬他！
我只想让他能够回头多看我一眼！
只想让他能稍微多关心我一点！

我要用物理招数追上你的速度!!

这些是什么……
无数道水激光!!

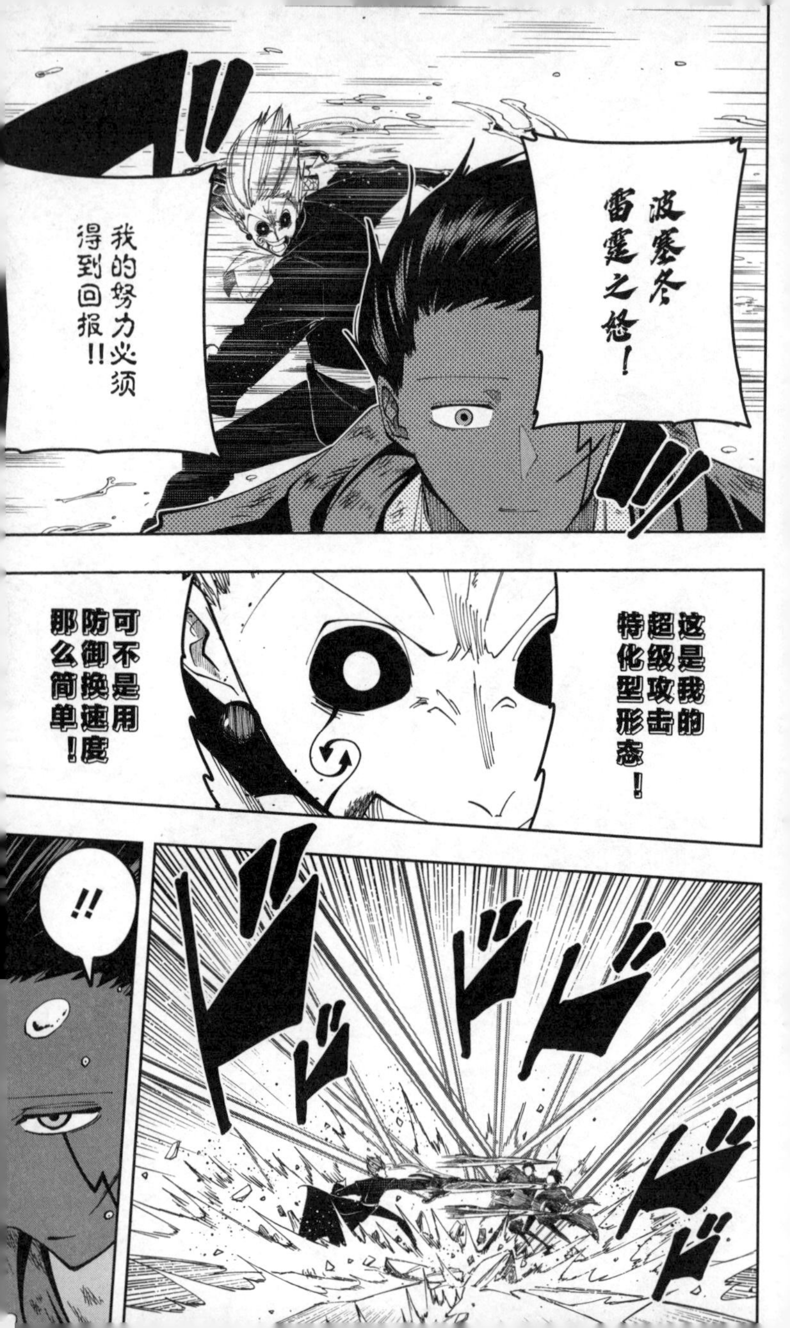
波塞冬雷霆之怒!
我的努力必须得到回报!!
这是我的超级攻击特化型形态!
可不是用防御换速度那么简单!
!!

嘶呜！
嘶呜！
我……
为父亲大人鞠躬尽瘁的我……
怎么可能会输!!
水三阶魔法
!!

第97话 马修·班迪德与无数之拳

附录④

P136 待续

向神祈祷啊。
无限制重锤！

糟糕……
再这样下去，
为了支撑这具水之身的水分……
咔
糟了。
为了生成水用掉了太多魔力。
我多米纳为什么会陷入这种境地?!
谁能想到会有人用这种方法对付被称为神之力的三阶魔法?
如果不能扭转局面，父亲就会……
该怎么办?
我需要一定的时间……
这种时候才应该……
!

……!!
连由水构成的我的身体也……？

只是摘下
负重手环……
就拥有了
用水桶接力
这种物理手段
就能对付
波塞冬的
速度?!

这家伙……
难道真的……

倒到了断掉的楼梯那里!!
然后时不时地回到对手面前，
留下残影，制造从来没有离开过的假象……
在极短的时间内重复上万次……
我不是在做梦吧……

什么……
水桶接力?!?!?!?!?!
啊……
啊啊……
我看到了……
马修以极快的速度，
用水桶回收对方放出来的水……
然后把水……

本体去哪儿了……
?!

这家伙……
究竟……
做了什么……
嗯？
莫非这是……
残影?!

?!
我的水魔法瞬间消失了?!
这究竟是……
?!
怎么回事?!
是心理作用吗?
感觉波塞冬变小了……

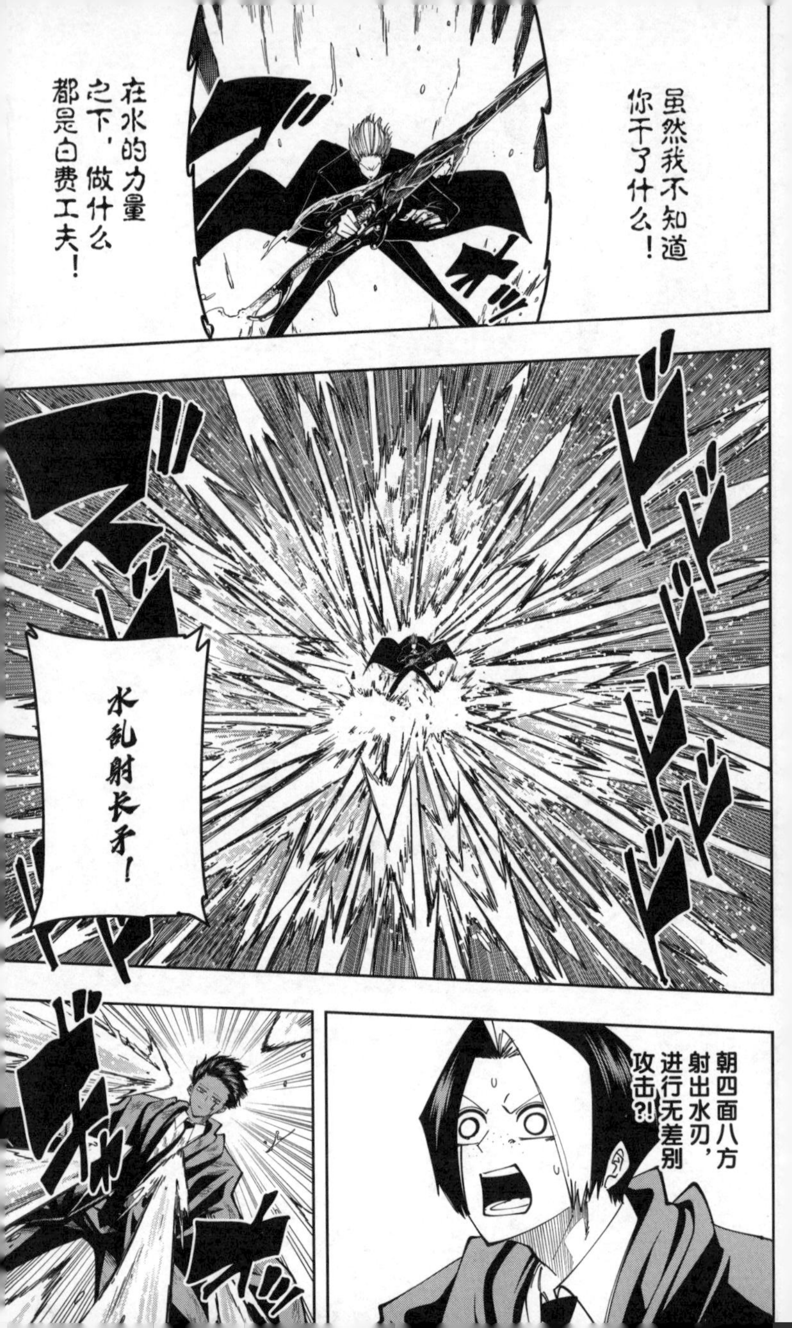
虽然我不知道你干了什么！
在水的力量之下，做什么都是白费工夫！
水乱射长矛！
朝四面八方射出水刃，进行无差别攻击?!

只是摘下了负重手环而已，有什么了不……
发生了什么?!
啊……?!

全身肌肉魔法
无限制身体模式。

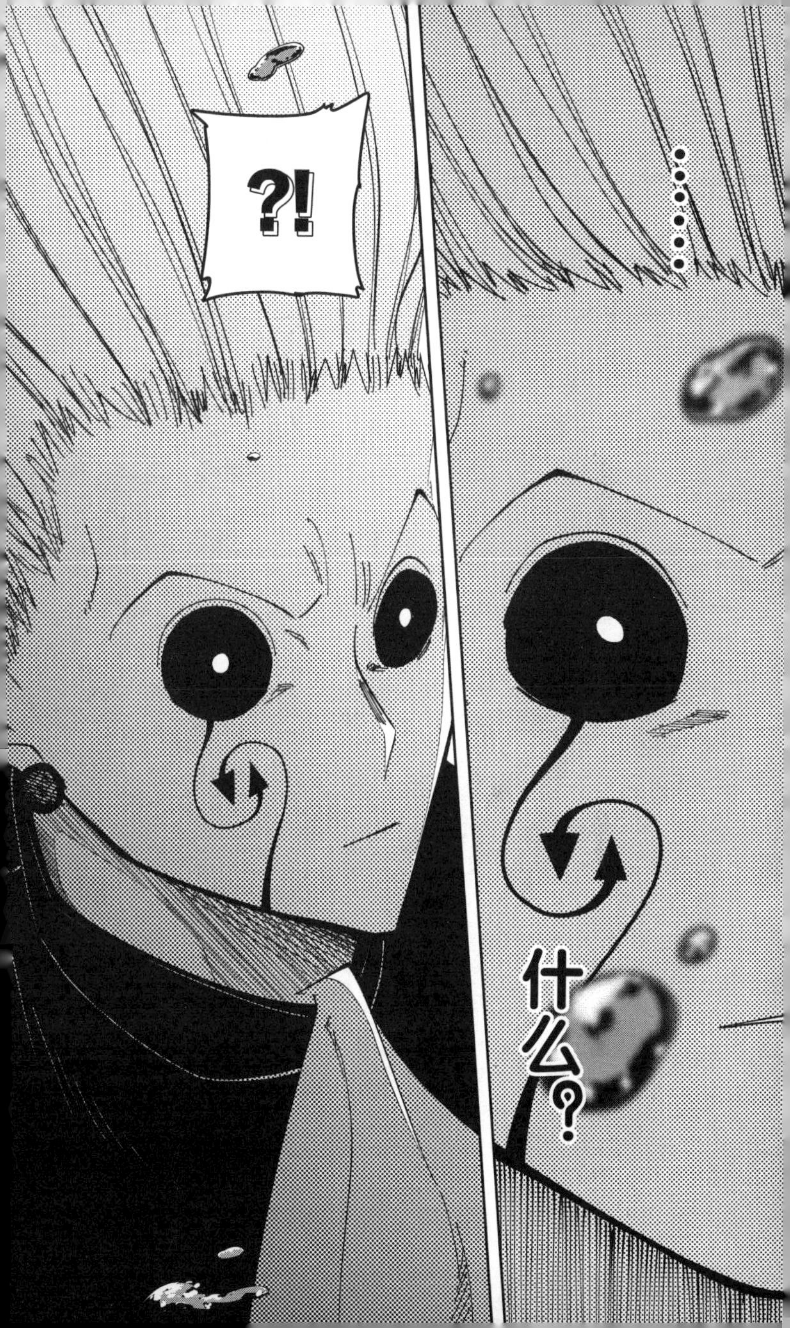
……
什ム？
?!

手环？
スッ
难道摘下这么两个破玩意儿就能提升力量不成?!
笑死人了……

马修，这是超绝分量负重手环，
你的肌肉宛如悍马，
平时要戴上这个抑制它们的力量。
第96话 马修·班迪德与肌肉总动员
只有在万不得已的时候才能把它们摘下来……
因为实在是太危险了。
ドドドド
就拿出全力
咔嚓
来跟你打吧。

附录③

P114 待续

……?!
刚刚是什么……
杀气?!
这家伙……
老爷子曾经叮嘱过我，绝对不能这么做，
可事到如今，也没办法了。
……
就拿出全力
咔嚓
来跟你打吧。

呵呵呵呵呵，看到了吗？
神是信仰的对象，是被尊崇、被畏惧的。
这力量已经超越了人类。
正因为如此，魔法才会被称为神的力量。
而你这种连魔法都用不了的凡人，
怎么可能战胜得了神……

从来没见过……
马修像这样单方面挨打!!

安格斯怒吼。

嘭咚
你刚刚蹲踞式起跑的时候蹭到了我，
三振出局!!
什么……被水推到半空中，
动不了了……
神之怒会将一切归于虚无……
结束了……

没用的。
啪哗
……
波塞冬在再生。
只要我还活着，波塞冬就不会消失。
什么?!
没错，你已经掉进了没有尽头的循环！
你死定了！

宇宙大爆炸冲刺！
直接攻击波塞冬的本体!!

嘭咚
不行……要想防御，只能攻击本体!!
可一旦忍不住出手攻击，波塞冬就会攒一点愤怒值!!
无法防御……
胭绳肌魔法
呼咻——

那是人类绝对无法抗衡的
压倒性的力量!!
ズドドドドドドド
三叉戟雨。
パッ

这就是真正的神之力……
你的攻击休想伤到我分毫！
和水融为一体了?!
那要怎么打?!
三阶魔法状态下的我在神之力的作用下成了水本身，
而且，
波塞冬有些生气了哟。
我的身体每被打散一次，波塞冬就会攒一点愤怒值，
等攒够三点愤怒值，便会降下神之怒！
嘭咚

打中了，对方却变成了水花?!
?!

我会，证明给你看!!
有资格得到父亲大人认可的只有我!!
厉害厉害，一个人兴高采烈地自言自语。
啪
不躲避，等对方近身攻击的时候抓住他!!

归位。
这是什么？
来啊！阻止我啊！
阻止这个世界走向终结啊！

波塞冬安格斯

！
水
三阶魔法

神之力。
你是在嘲笑
我与父亲大人之间的感情吗……
既然你都把话说到这个份上了，
那我就用真正的力量宰了你!!

第95话 马修·班迪德与水之神

『究极魔法
三阶魔法』。
即便是几百万人中才会出一个的三线魔导师，
也只有极少一部分人能够使用。
是一种超高等魔法……
就连高高在上的『神觉者』，也罕有人掌握。
凡发现者，无一例外会名留青史。
三阶魔法存在的本身就是奇迹，
是真正的——

附录②

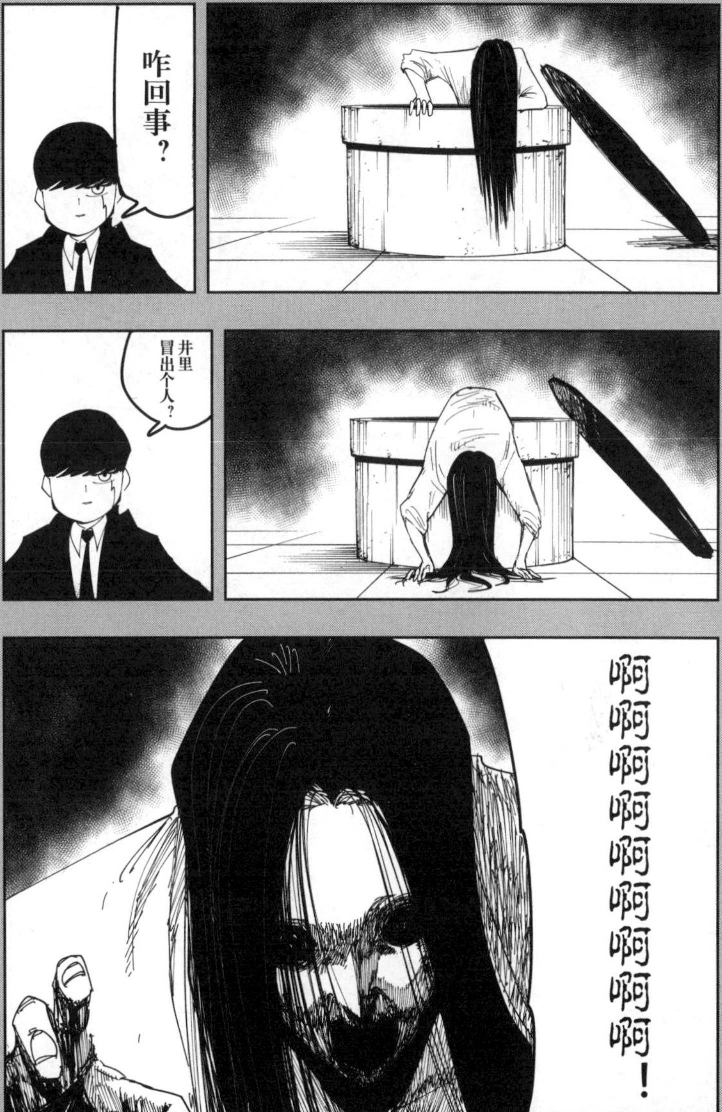

咋回事？
井里冒出个人？
啊啊啊啊啊啊啊啊啊！

P94 待续

这家伙……折断刺穿自己身体的三叉戟，扎在了我的大腿上……
要是输给了我，
！
就有借口向你亲爱的爸爸解释了啊……
我一定要宰了你!!

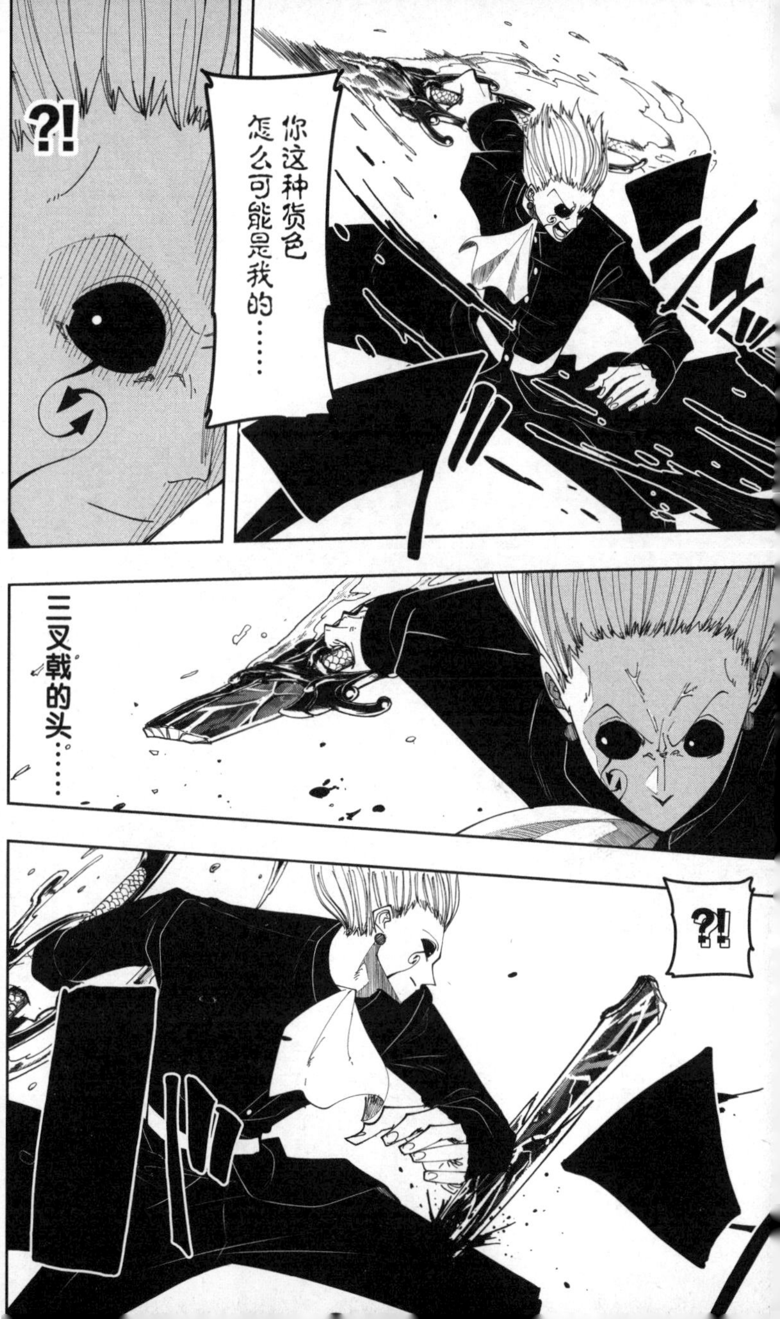
你这种货色
怎么可能是我的……
?!
三叉戟的头……
?!

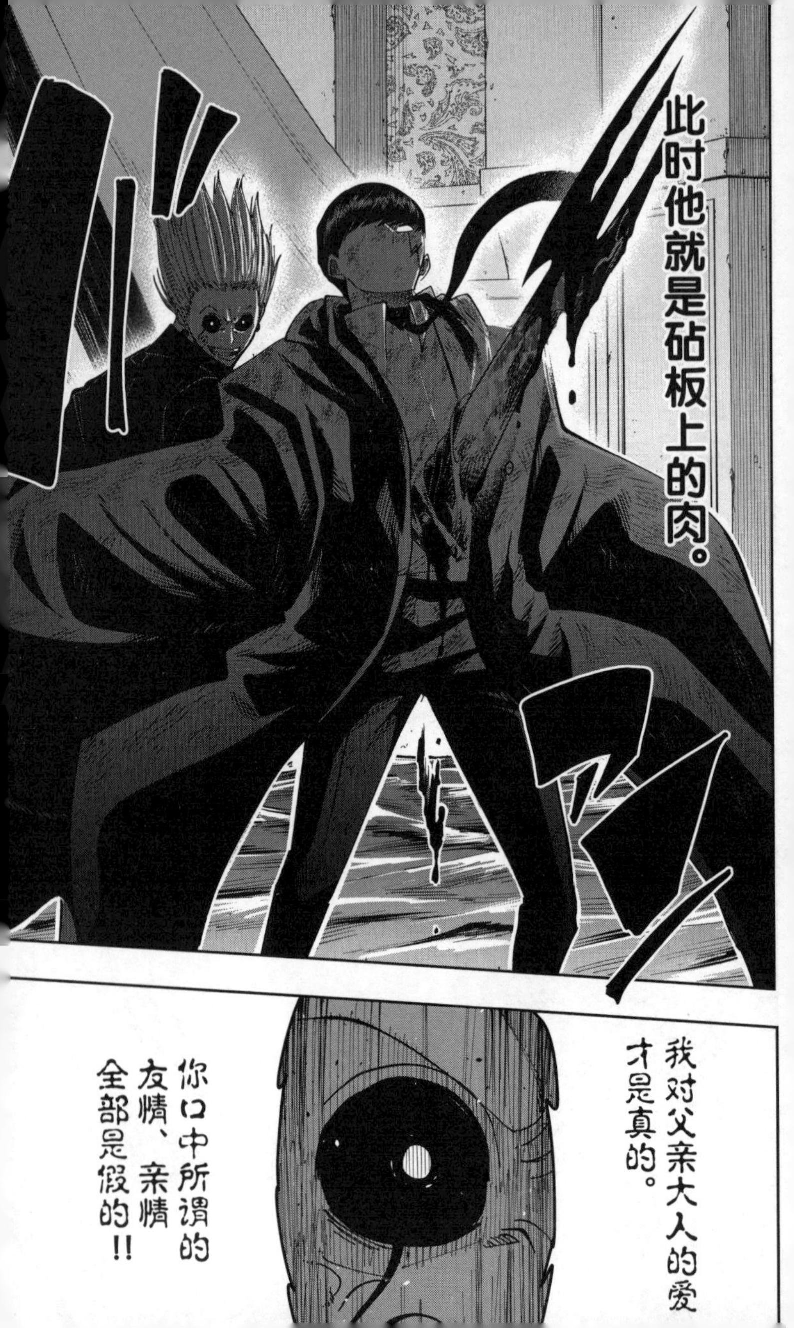
此时他就是砧板上的肉。
我对父亲大人的爱才是真的。
你口中所谓的友情、亲情全部是假的!!

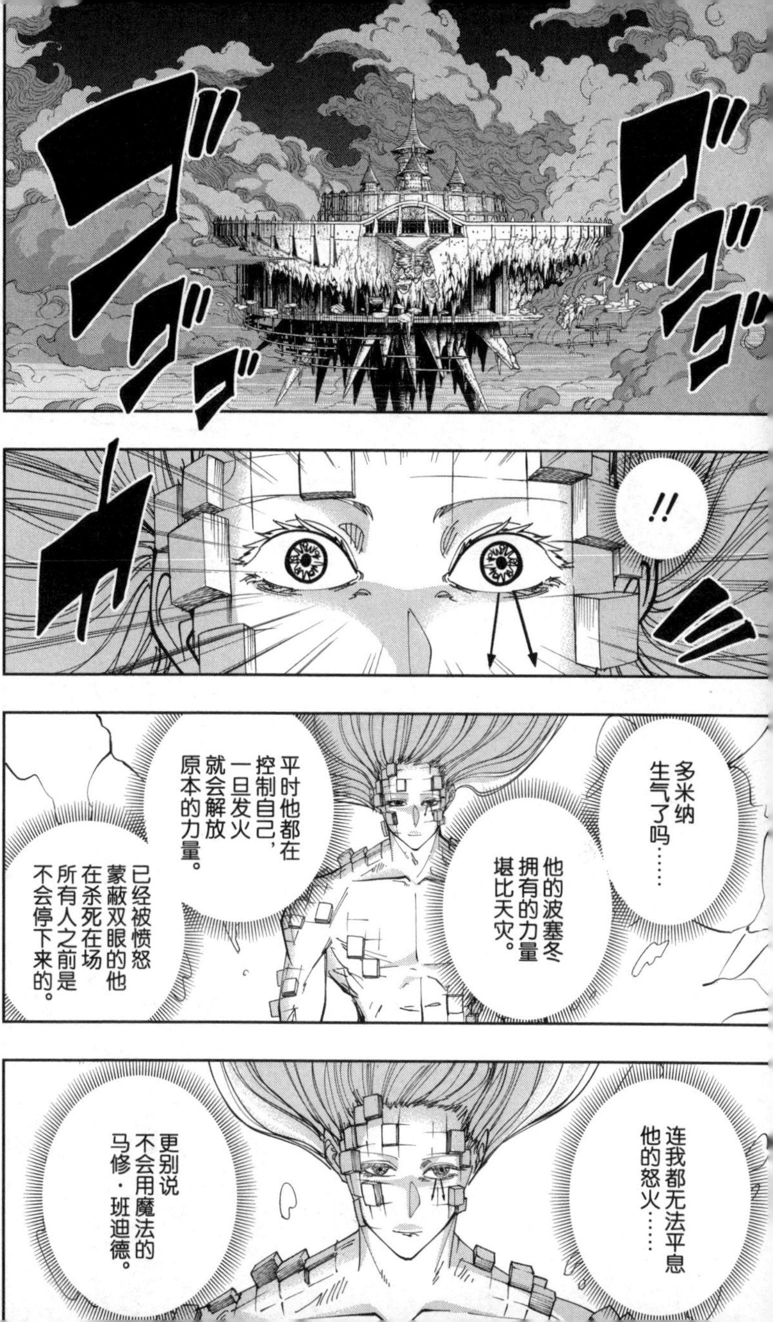
ゴゴゴ
ゴゴゴゴ
!!
多米纳生气了吗……
他的波塞冬拥有的力量堪比天灾。
平时他都在控制自己，一旦发火就会解放原本的力量。
已经被愤怒蒙蔽双眼的他在杀死在场所有人之前是不会停下来的。
连我都无法平息他的怒火……
更别说不会用魔法的马修·班迪德。

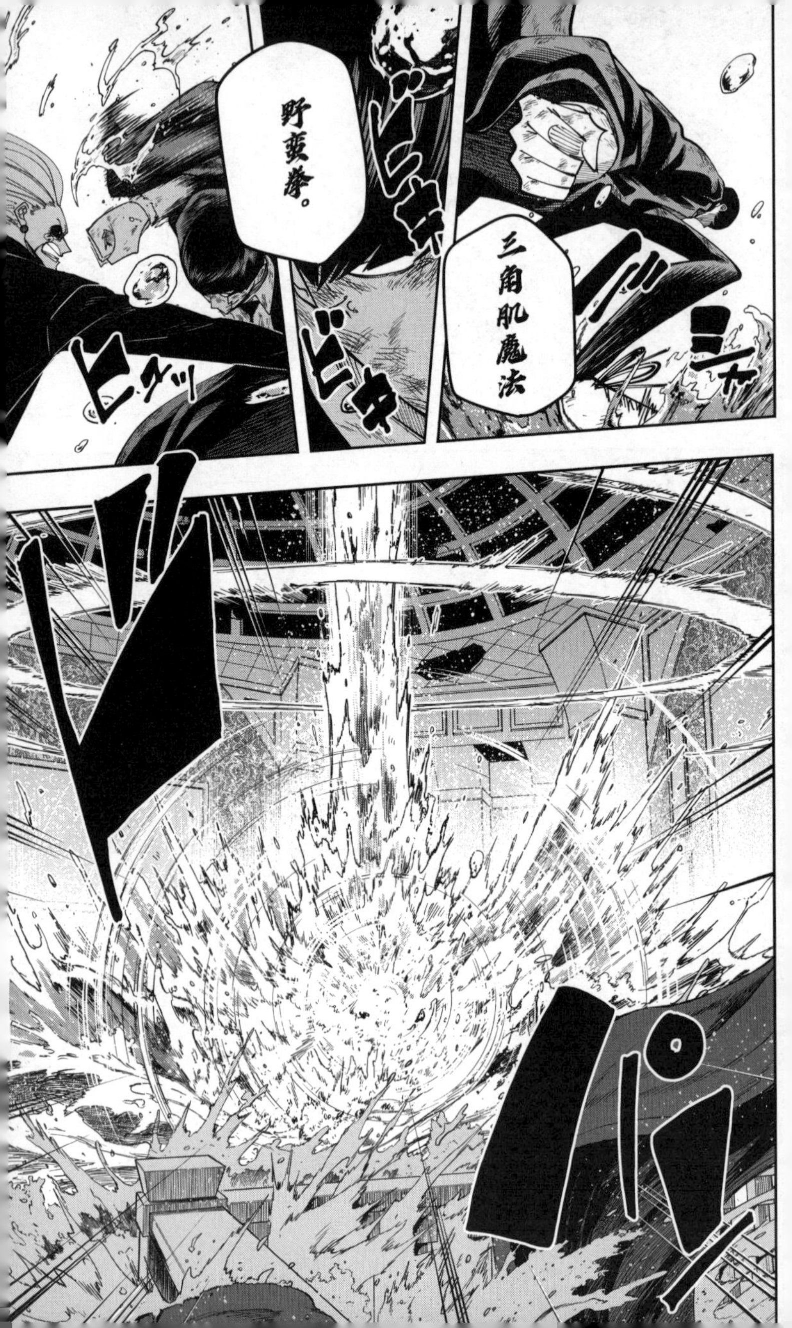
三角肌魔法
野蛮拳。

三叉戟雨!!
!!

咚噗
消失在水里了？
如果获得幸福的那个人不是我，就太奇怪了吧!!

水之神。
波塞冬
为血脉
紧紧相连的父亲
鞠躬尽瘁的我
和无所事事地
混迹在鱼龙混杂的
人际关系中的你……

！
召喚
ボコ

太奇怪了吧——!!!

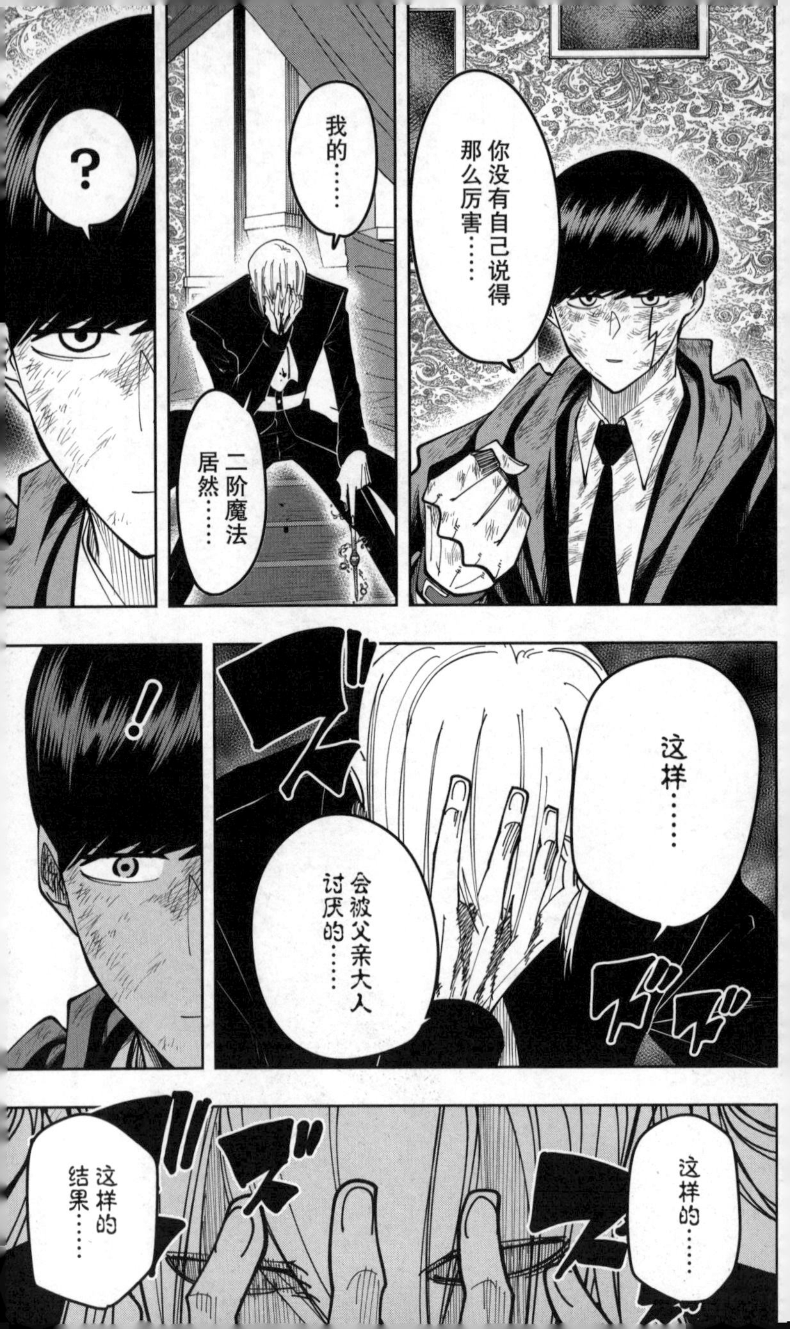

你没有自己说得那么厉害……
我的……
二阶魔法居然……
？
这样……
会被父亲大人讨厌的……
！
这样的……
这样的结果……

还顺便放掉了
里面的水，
从而脱身……
不可能……
*滴答

?!
什么……
ジ
パーパパ
パパパ
パパパ
利用水牢里的水，
把我的二阶魔法都抵消了!!
ビュ!!
ッ
ッ

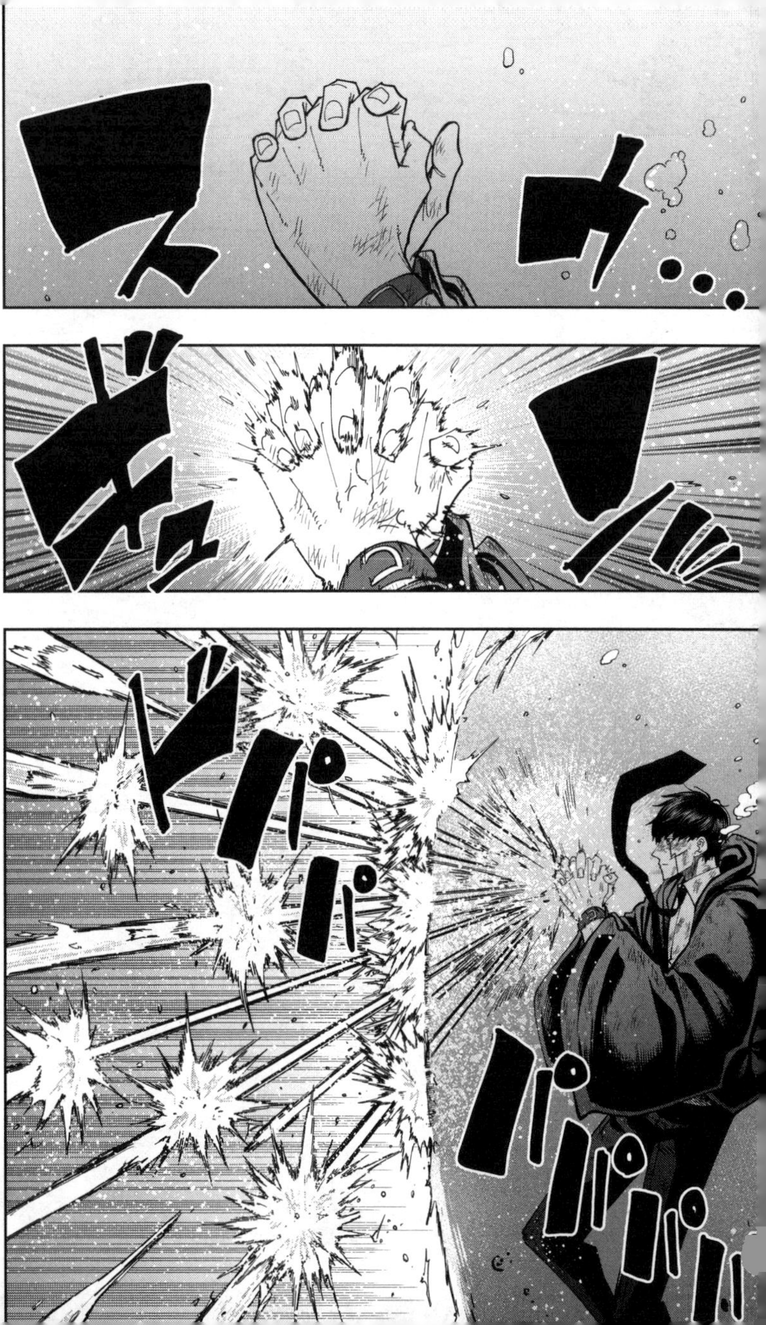
スッ…
ギュッ
ドパパ
パパパパ

『成千上万水箭鱼』。

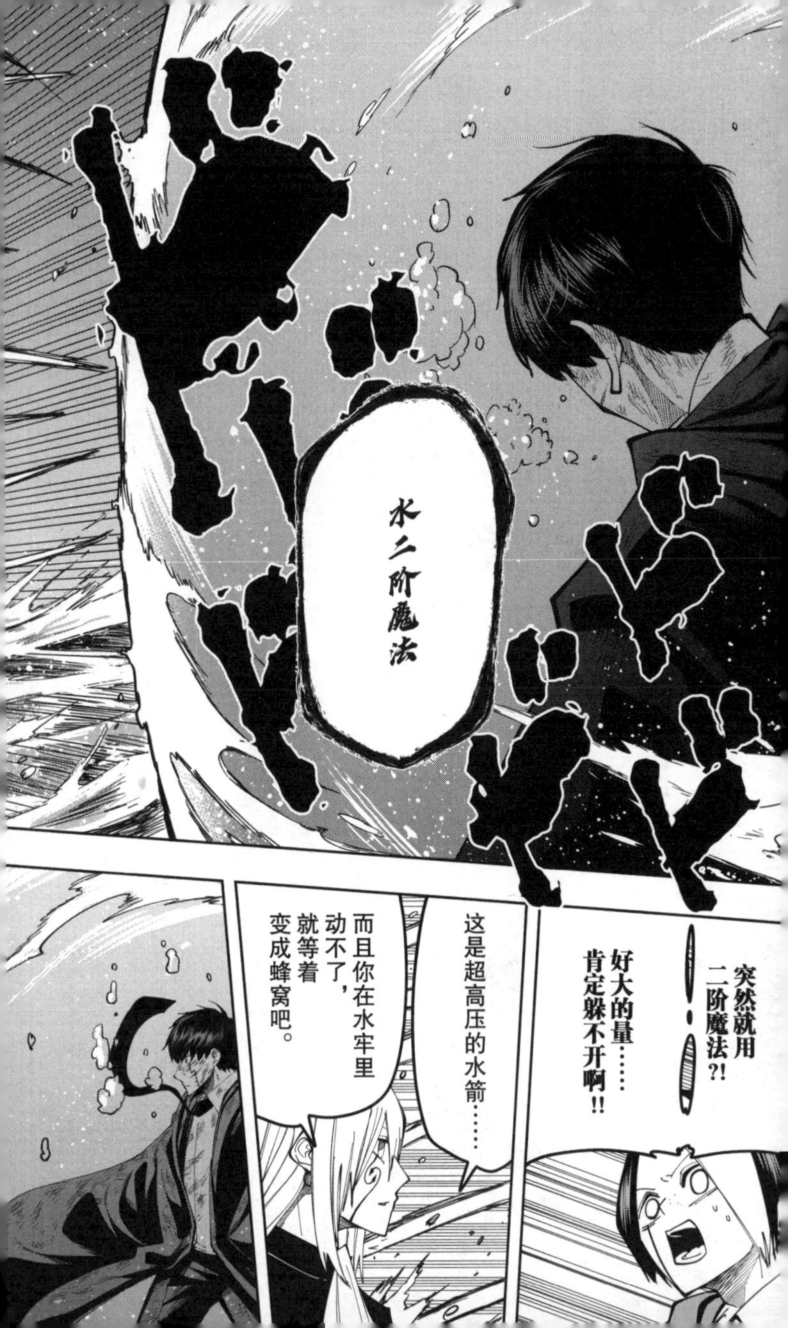
水二阶魔法
突然就用二阶魔法?!
好大的量……肯定躲不开啊!!
这是超高压的水箭……
而且你在水牢里动不了，就等着变成蜂窝吧。

?!
怎么游都游不动?!
那座水牢始终保持着流动……
水会朝着与行进方向相反的方向流动，是不可能游出来的……
咕嘟嘟嘟嘟嘟嘟嘟嘟……
嘟嘟嘟嘟……
拼命说着什么!!
你在瞧不起我吗？
我非常不爽……
咕嘟!!

被水团包在里面了?!
咕嘟。
咕嘟。
呵呵呵。

第94话 马修·班迪德与水的化身的愤怒

水魔法……
操纵四大元素的魔法使……
水平很明显比马修以前遇到的对手都要高……
水牢。
!

附录①

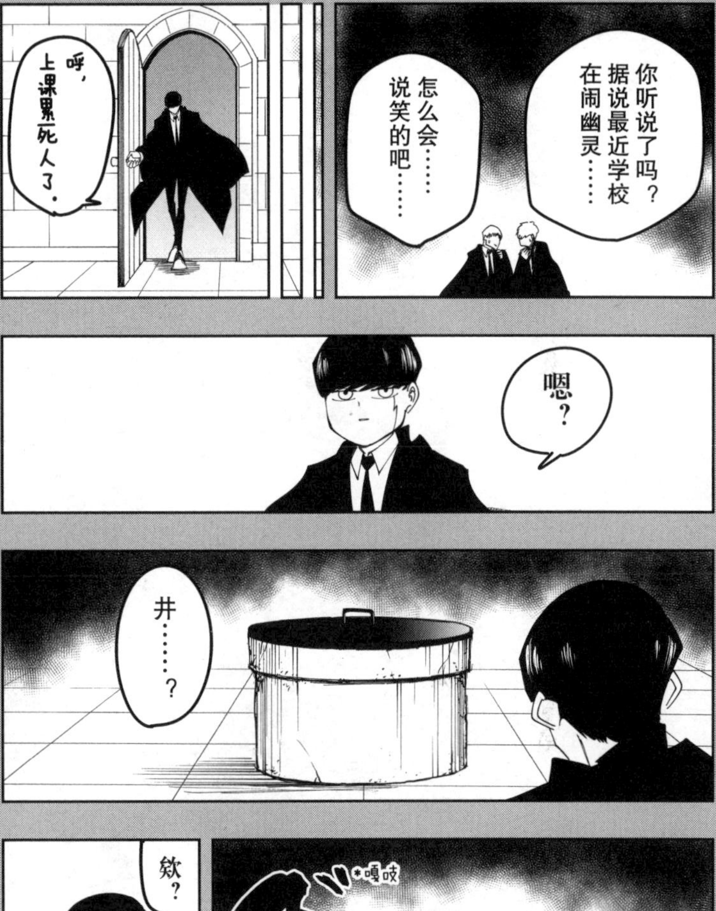
你听说了吗？据说最近学校在闹幽灵……
怎么会……说笑的吧……
呼，上课累死人了。
嗯？
井……？
*嘎吱
欸？

P74 待续

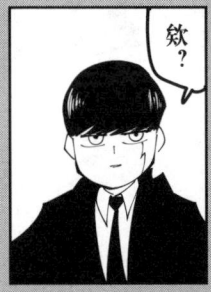

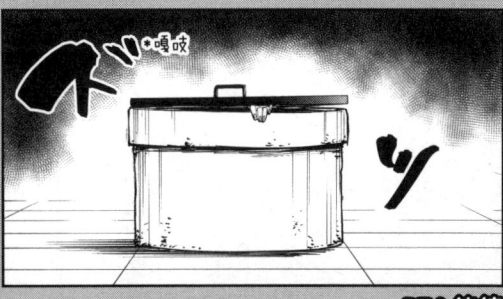

我要把你们
指
都干掉。

突破了水盾!!
……
心术不正。
只要有我在，你们就休想为祸人间。

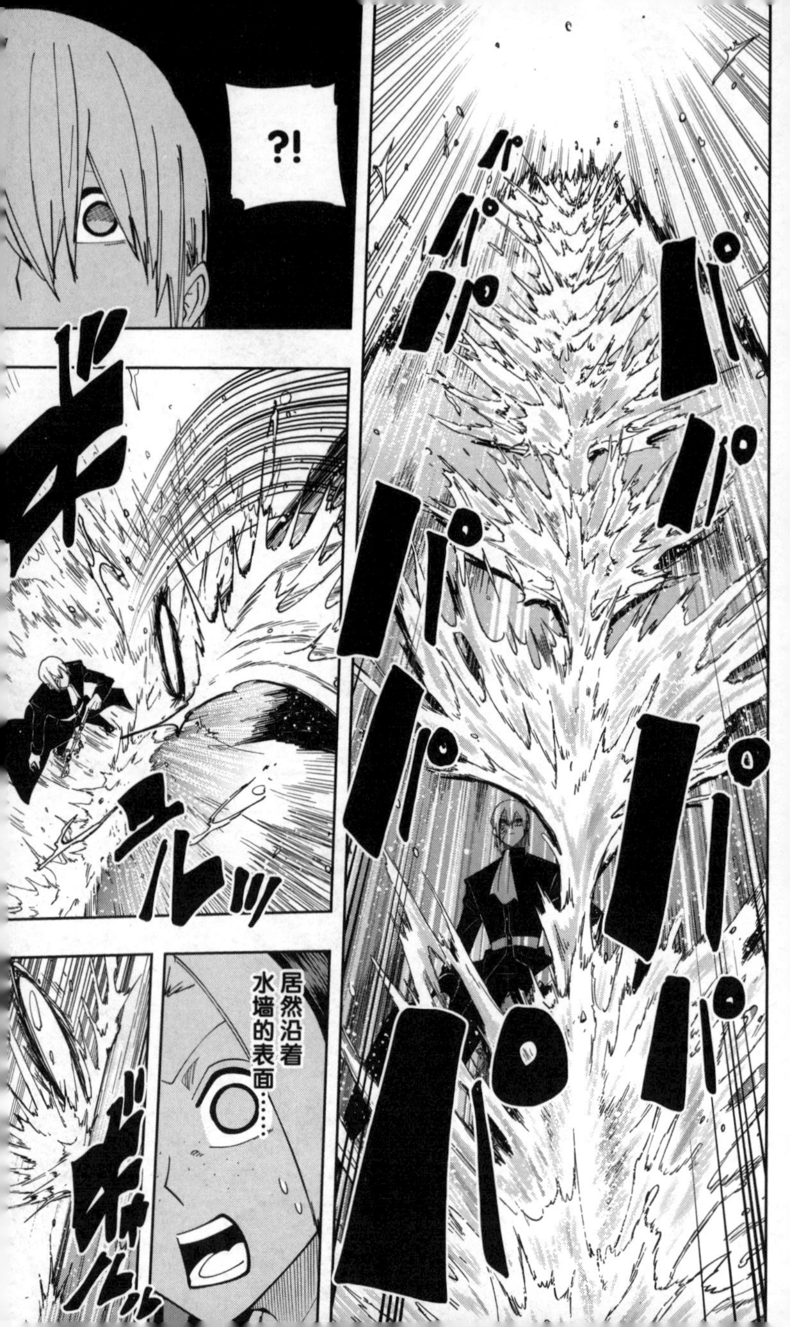
?!
居然沿着水墙的表面……

打水漂!!
可是他要怎么突破那面高压水流形成的盾……
如果只是单纯地丢块石头过来，是不可能突破这水墙的。

那是……
ゴオオオオ
啪
パァァン
パァァン
!

糟糕……

那是什么姿势……
呼——

得到魔法杖的父亲会用诅咒把世界搞得乱七八糟，
你的家人和朋友都会身不由己地一边流泪一边战斗。
他们会相互伤害，相互仇恨。呵呵呵呵呵呵。
等我赢了，
就能看到那番极致的美景了呢。
但你失败了，
算了。
你已经没用……

?!
啊——啊，这不对吧？
因为你，一切都白费了。
不按照别人所期待的那样去做，所有人都不会认可你哟。

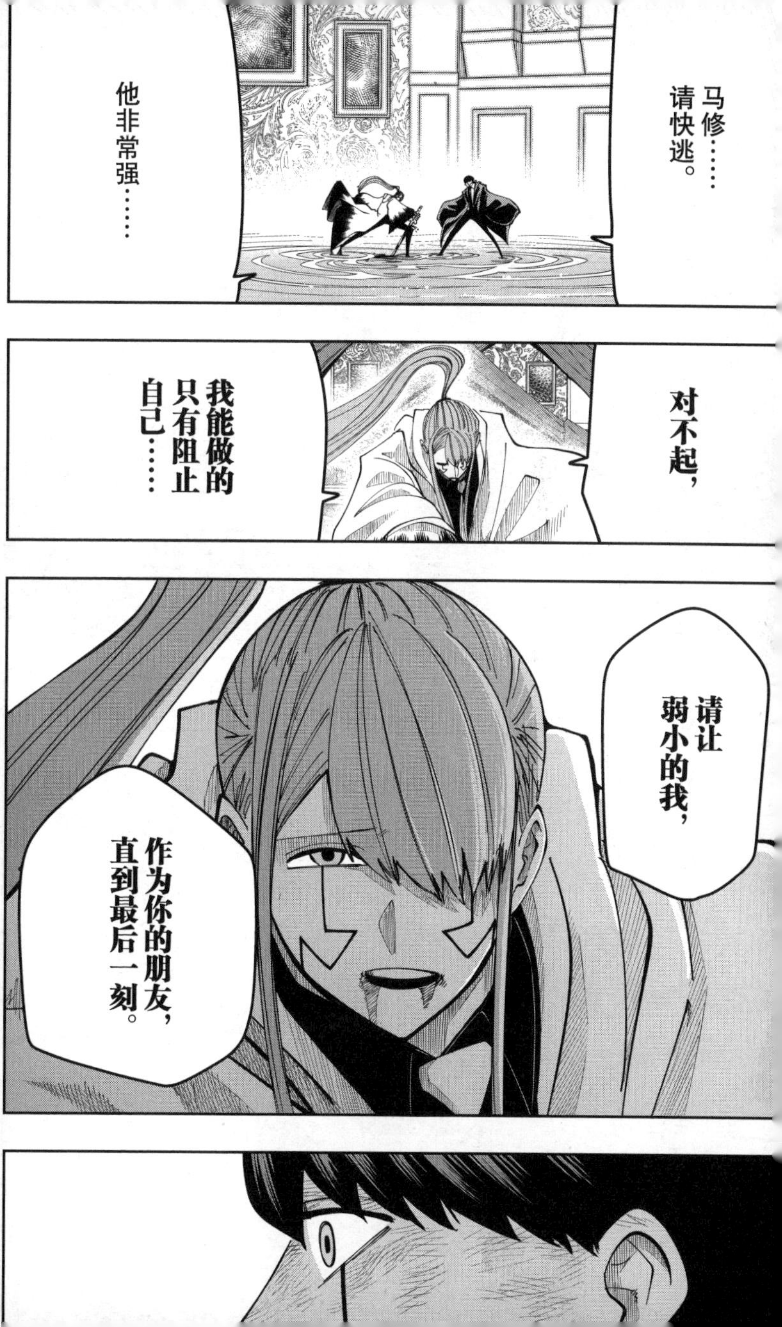

马修……请快逃。
他非常强……
对不起，
我能做的只有阻止自己……
请让弱小的我，
作为你的朋友，直到最后一刻。

?!
无论这个世界多么厌弃你的眼睛，
无论周围的人因为这点说出多难听的话，
我对你的态度
都不会变。

马修·班迪德!!
*啪嗒
……

看着装成好朋友的家伙相互厮杀，
真是太令人愉悦了。
ドドドドドド
这下看出来了吧，你们之间虚假的友情有多脆弱。
给我认清现实，陷入绝望吧！

我下不去手……
阿比斯……
是我的朋友……
呼——
呼——
糟糕。
唰

*呼
阿比斯……
那家伙中了父亲钻研的黑暗诅咒，
他听不到你说话……
诅咒入侵了他的大脑，他现在就是个没有意识、只会不停杀戮的机器。
这是我准备的余兴节目，
尽情上演同室操戈的丑陋斗争吧。
*呼

パラ

波浪!!
糟糕.
现在绝望还早，马修·班迪德，
我会让你尝到真正的痛苦，之后再杀了你。

!!
这堵墙是涌出来的水形成的高压水流，
嗖
如果想强行突破，就会……
石头被切成了两半?!
如此一来，你就无法接近我，
对我造成伤害了。

?!
以足以压制水势的姿势
蝶泳!!
水盾。
啪咻

大量的水……
……
这么大量的水，而且那么重，
这样的攻击根本无法抵抗!!
肯定会直接撞到墙上……

赶紧开打吧，
爸宝。
水重击。
呜噗！

『那就糟了』
的心情。
你还真是没变……
父亲居然想要你这种人……
我很不爽。
父亲获得完美身体之时，
就是这个世界终结之日。
到时候你们……
那个……
!

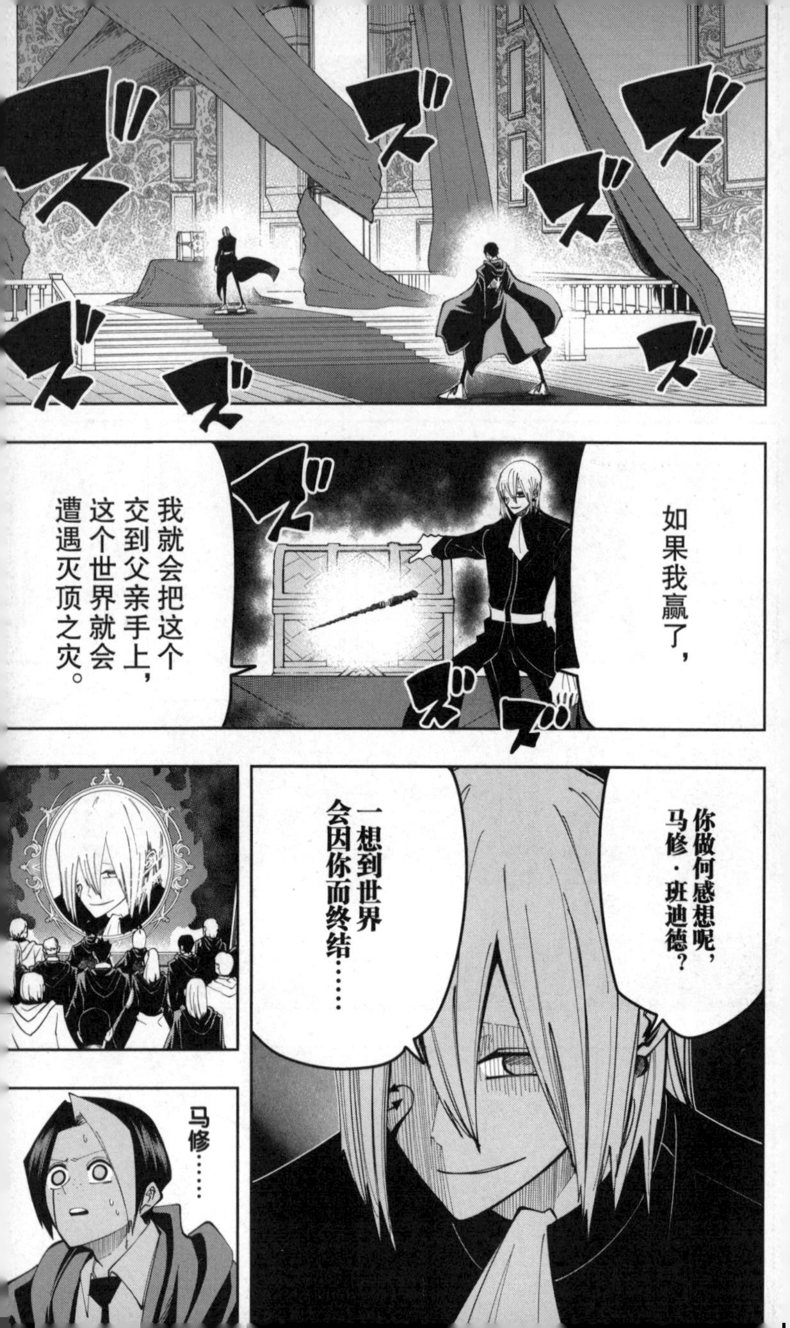
如果我赢了，
我就会把这个交到父亲手上，这个世界就会遭遇灭顶之灾。
你做何感想呢，马修·班迪德？
一想到世界会因你而终结……
马修……

物理魔法使马修

MASHLE

第93话 马修·班迪德与水之魔法使

第93话 马修·班迪德与水之魔法使
コッ
コッ
ド
ド
ド
ド
ド
这就是起源之杖。
得到它的人就是今年的『神觉者』。

致各位购买本漫画的读者

感谢你们购买《马修》第11卷!!

终于来到最后一个章节了……!!

好漫长……真的好漫长……真的。

我想坑掉的心情至少出现过8万次!

真的……

正因为有了买漫画的您，

我才能坚持到现在!!!

我真的好感谢陪伴我到现在的读者，

希望你们幸福!!

嗯？你有不喜欢的人，每天都过得很不开心？

这样啊……

嗯嗯……生活中有那样的人，

的确不算幸福呢。

这种时候干脆……给他来一个肘击!!

揍他！给他留条命就好!!自己负责哟!!上啊!!!

又及：谢谢你们的来信。

巧克力也收到了!!好幸福!!

就算会用魔法，
也只有这点能耐吗？
我马上就让你
说不出话来。

在墙上垂直行走?!
呜哇……
我想到了……
虽然想到了……

什么声音……
啊啊啊啊啊啊!!

马修!!
再见了，
不会用魔法的废物弟弟。
糟糕……掉进那个好像深渊的陷阱里就再也……

终于……
走到了这一步。
我相信你，
你绝对会取得胜利。
正面突破。

发现坏蛋头领。
我一直在等你，
因为不干掉你，这场比试就不算完。
马修……

真令人期待啊。

ゴポ
ゴポ
多米纳应该快拿到起源之杖了吧……
如果单看身为魔法使的资质的话，多米纳是我所有孩子中资质最好的……
没有魔力的劣等生物马修·班迪德能跟他过几招呢……
呵呵呵……

……
不见了……

很久以前发生过某个『神觉者』被打得爬不起来的案件，
凶手就是多米纳，他当时还是个孩子……
不仅如此，他还拥有真正的神之力，
魔法被奉为奇迹的起因……
凭你的实力，
绝对……
嗯？

你接下来的对手是多米纳，
跟他打，你赢的可能性连万分之一都没有。
为什么？
他根本就不是人，
而且我亲眼见过他战胜『神觉者』……
比『神觉者』还厉害?!

闭嘴吧，
你这个人渣……
……
一点也不坦率……
不要因为赢了我就得意忘形。
我没有啊……

你已经很努力了，
利夫。
吵死了……

身为我的儿子，居然连这种小事都做不到!!
废物!!
对不起，对不起，爸爸。
下次我一定会努力做到的，对不起。
利夫……你没事吧？
嗯……下次我一定会照爸爸的意思去做……
别这样，利夫，
别那么责怪自己。

你对赢的执着
令人佩服。
你将来会站在这个世界的顶端，
舍弃天真的想法，利用一切能利用的东西。

不能成为第一，活下去也没意义了……
为了赢，不惜欺骗和利用别人，
你这样是会众叛亲离的啊。
不过……
！

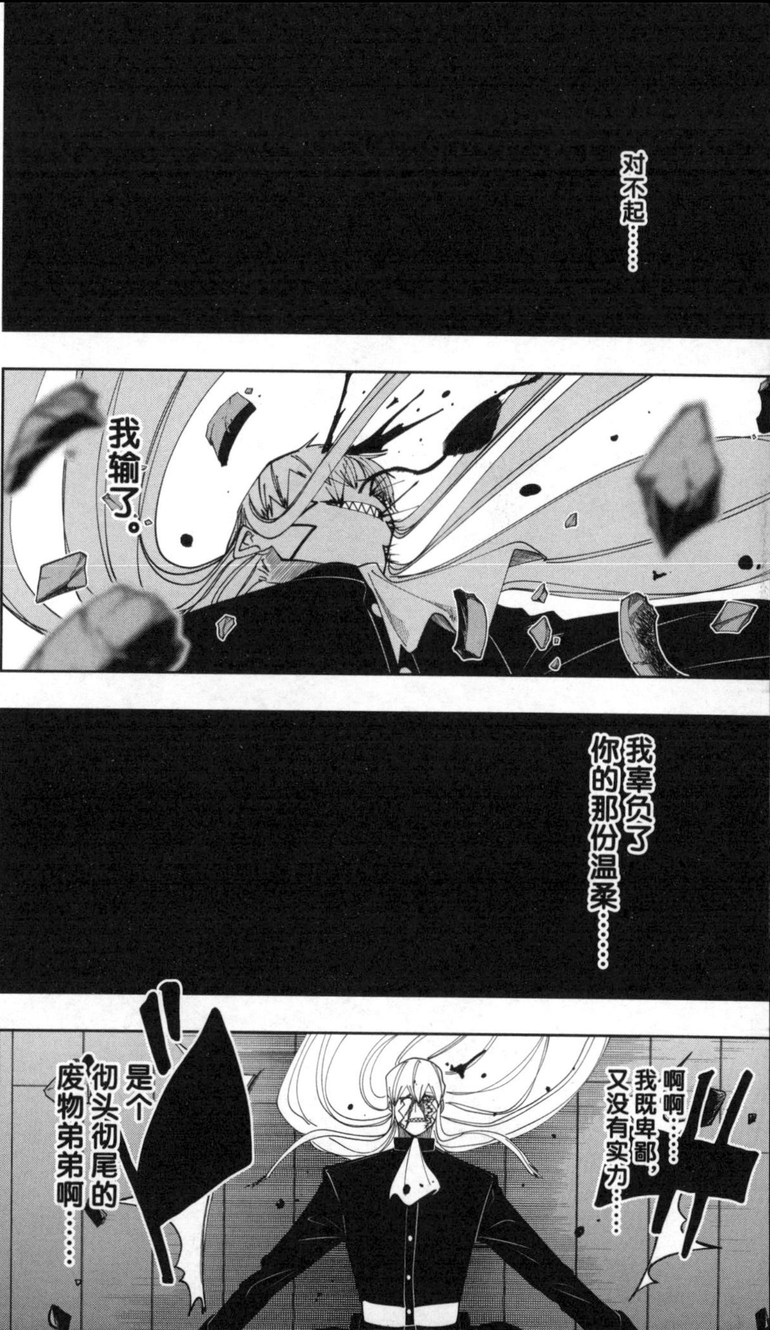
对不起……
我输了。
我辜负了
你的那份温柔……
啊啊……
我既卑鄙，
又没有实力……
是个
彻头彻尾的
废物弟弟啊……

第92话 马修·班迪德与无底陷阱
哥哥……
啪啦

目录

雷蒙·欧文

在插班考试时为马修所救，因此喜欢马修。

达特·巴雷特

为人耿直，很吵。因为不受女生欢迎而嫉妒帅哥。

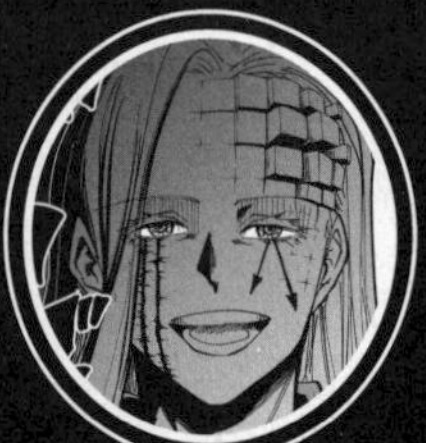

“纯粹的根源”

活跃在地下的暗魔法组织的首领。使用时间魔法。

沃尔伯格校长

魔法学校的校长。认同马修，对他充满期待。

利夫·洛斯库沃斯

魔法局局长的儿子，前伊斯顿学生。性格残暴。

多米纳·布罗利夫

“纯粹的根源”之子，一直渴望得到父亲的认可。

前情提要

这里是人人会用魔法、魔法的优劣决定一切的魔法界。每天锻炼肌肉的勇猛少年马修身上隐藏着一个秘密，那就是完全不会使用魔法。在魔法界，不会使用魔法的人会被消灭。马修为了重新过上平静的日子，决定进入魔法学校拿到“神觉者”称号!!凭借着异于常人的肌肉，马修处处凌驾于魔法之上，终于站在了“神觉者”候补选拔考试的考场上!!伊斯顿与瓦尔吉斯两校相争，“神觉者”最终考试终于开幕!!考场设在埋伏着种种诅咒，被称为巨大迷宫的格瑞夫宅邸!!谁能找到隐藏于宅邸中的“起源之杖”，就能成为“神觉者”。战斗不断升级，魔法局局长的儿子利夫将马修困入监禁方箱!!兰斯和达特挺身奋战，帮助马修脱困。利夫不分敌我，恣意蹂躏他人，马修怒发冲冠!!但是利夫拥有操纵雷电与磁力的魔法，能够发动三线魔法使的魔力，实力不可小觑。一场激战之后，马修一记头槌粉碎了利夫暗黑的支配欲……

人物简介

马修·班迪德

不会使用魔法的稀有少年。用千锤百炼的肌肉粉碎所有魔法。缺乏常识，经常把事情搞砸。对家人和朋友很好，是个老实的乖孩子。最喜欢吃奶油泡芙。进门的时候分不清该推还是拉。

兰斯·库朗

插班考试第一名。有实力的帅哥。溺爱妹妹，十足的妹控。

芬·埃姆斯

马修的室友。负责吐槽。是马修的第一个朋友。

物理魔法使马修

MASHLE

[日] 甲本 一 绘著

HAJIME KOMOTO

11

马修・班迪德
与水之神

湖南文艺出版社
HUNAN LITERATURE AND ART PUBLISHING HOUSE
博集天卷
CS-BOOKY

甲本一